# La Guerra Civil
## Las fotos que hicieron historia

**La miliciana Marina Jinesta en el Hotel Colón de Barcelona. (J. Guzmán)**

Durante las primeras semanas de la guerra se exaltaría el papel de la mujer en la lucha y la figura de la miliciana, con mono azul y fusil al hombro, como refleja esta joven, miembro de las JSUC (Juventudes Socialistas Unificadas de Cataluña), de pie en la terraza de un hotel en que se había establecido un centro de reclutamiento. Aunque hubo milicianas en prácticamente toda la zona bajo control republicano, fueron más abundantes en Barcelona y el frente de Aragón. Al recomendar los gobernantes y organizaciones republicanas la salida de las mujeres del frente y su trabajo en la retaguardia, se producirían conflictos por el rechazo que produjo esta decisión en algunas combatientes.

ƒ
27.4.06

**Despidiéndose antes de partir. (A. Centelles)**

El fotográfo catalán Agustín Centelles fue el español que mejor reflejó en fotos la Guerra Civil. En esta instantánea evoca la separación sufrida por muchas parejas durante la guerra. Muchas mujeres se quedarían viudas, muchos matrimonios y familias acabarían separados por la guerra, con unos en el exilio y otros prisioneros de los franquistas. Esta foto también recuerda la famosa obra de Robert Doisneau "The kiss on the sidewalk", sobre el final de la Segunda Guerra Mundial, pero en ese caso se expresaba la alegría por la victoria, y aquí el temor en la despedida.

# La Guerra Civil
## Las fotos que hicieron historia

1936-39
*Tres años que desafían el olvido*

## PAUL PRESTON

*Pies de foto:* SANDRA SOUTO

la esfera e de los libros

[ JdeJ *Editores* ]

# La Guerra Civil
Las fotos que hicieron historia

© La Esfera de los Libros, 2005
© JdeJ Editores, 2005

EDITOR:
Javier de Juan y Peñalosa

DOCUMENTACIÓN:
Teresa Avellanosa

DISEÑO Y MAQUETACIÓN:
DIRECCIÓN DE ARTE: Juan Carlos González Pozuelo
Con la colaboración gráfica de Àngels Vilà y Rosa Moreno de *Filtre Disseny*

CORRECCIÓN:
Ana Crespo de Luna

PROCEDENCIA DE LAS ILUSTRACIONES:
FOTÓGRAFOS:
Agustì Centelles, Santos Yubero, Robert Capa, Alfonso Sánchez Portela,
David Seymour, Louis Deschamps, Juan Guzmán y Kati Horna

ARCHIVOS:
Biblioteca Nacional (Madrid), © Agustì Centelles (VEGAP). Madrid 2005,
Archivo General de la Administración, EFE, Archivo de la Guerra Civil de Salamanca,
Archivo Comunidad de Madrid, ABC (Madrid), The Ilustrated London News (U.K),
Bettman/Corbis (USA), Hulton-Deutsch Collection/Corbis (USA),
Keystone (Francia), Roger Violet (Francia), AKG (Alemania), Magnum (USA),
TopFoto (U.K.), Alinari (Italia), Popperfoto (U.K.)

FOTO DE PORTADA: Robert Capa/Magnum
FOTOS DE CONTRACUBIERTA: EFE y A. Centelles

PREIMPRESIÓN:
Safekat, S. L.

IMPRESIÓN:
Monterreina, S. A.

I.S.B.N: 84-9734-424-3
Depósito Legal: M. 43201-2005

# Índice

Escribiendo a casa. (K. Horna)

La separación de las familias y la soledad que se vivía en el frente hacían muy importantes las cartas que se enviaban y se recibían de madres, esposas o novias, hijas o hermanas, como nexo de unión con la retaguardia, la cotidianidad perdida y los seres queridos. En la zona republicana se llegaría a hacer campaña para que las mujeres animaran en sus cartas a los hombres que estaban en el frente. Con el desarrollo de la guerra, la creciente degradación de las condiciones de vida en la retaguardia republicana y el pesimismo consiguiente, se hablaría de que las noticias que enviaban las mujeres en sus cartas desanimaban a los combatientes del frente.

# 1936-39
# Tres años que desafían el olvido

## PAUL PRESTON

*La propaganda del régimen franquista y la memoria
de la Guerra Civil*

El 1 de abril de 1939, Franco escribió de su puño y letra el último parte de guerra de la contienda civil: 'En el día de hoy, cautivo y desarmado el Ejército Rojo, han alcanzado las tropas nacionales sus últimos objetivos militares. La guerra ha terminado.' No era cierto. La guerra no había terminado. Franco tenía razón solamente en cuanto a las operaciones militares y, aun así, acciones del ejército contra la guerrilla republicana tendrían lugar hasta finales de los años cuarenta. Y por otros medios, también, la guerra seguiría su camino. A pesar de toda la propaganda que el régimen fabricó acerca de 'los largos años de paz', la Guerra Civil continuaría traumatizando la vida española durante muchos años después de terminadas las hostilidades formales. Lo que se vio en abril de 1939 no fue el comienzo de la paz o de la reconciliación, sino el anuncio de la institucionalización de la venganza a gran escala contra la izquierda derrotada. Por varias razones, Franco iba a empeñarse más que nadie en mantener abierta la herida sangrante de la guerra. En el lenguaje oficial existían sólo los 'vencedores' y los 'derrotados', los 'buenos españoles' y los 'malos españoles', los 'patriotas' y los 'traidores'. El primado de España, el cardenal Gomá, fue censurado por haber usado en su carta pastoral del 9 de agosto de 1939 la palabra 'reconciliación', en vez de la oficialmente aprobada 'recuperación'. Este término quería significar la redención, tras el castigo merecido, de los que se retractaban de sus herejías liberales y aceptaban el sistema completo de valores políticos y morales establecido por los vencedores.

**Un grupo de participantes en la revolución de Asturias de 1934.**

La movilización obrera de octubre de 1934 adquirió caracteres diferentes en las distintas regiones de España en función de las características de éstas y de las organizaciones obreras existentes. En Asturias, donde se había formado una Alianza Obrera entre socialistas y anarcosindicalistas, se produjo una verdadera revolución social. Apoyados en la complicada orografía de la región y en la fuerza de los sindicatos mineros, los comités obreros controlaron durante aproximadamente dos semanas un tercio de la provincia y asumieron todas las funciones estatales básicas, como el abastecimiento, los servicios de transporte o el orden público por primera vez en España. El traslado de tropas de regulares, dirigidas por Francisco Franco, desde África, y un combate prácticamente pueblo a pueblo permitió al Estado recuperar el control de la provincia el 18 de octubre. Grupos enteros de mineros serían conducidos a la cárcel.

El gobierno de Franco organizó una masiva investigación llamada la Causa General, a través de la cual se contabilizaron las víctimas de los desmanes en zona republicana. Los familiares pudieron llorar por las víctimas y, a menudo, verlas designadas en los lugares de honra póstuma, inscribir sus nombres en las criptas de las catedrales y en las paredes de las iglesias, poner cruces y lápidas en el lugar mismo de su muerte e, incluso, en algunos casos, en el callejero urbano. Las atrocidades en zona republicana, que fueron muchas veces la obra de elementos criminales o incontrolados, pero a veces también de una minoría de grupos de extrema izquierda, fueron retratadas durante casi cuarenta años por policías, religiosos, militares y propagandistas del nuevo régimen vencedor como si hubieran sido obra oficial de la misma República. La finalidad de dichos escritos era justificar el golpe militar de 1936, la matanza que provocó y la consiguiente dictadura. A través de la prensa y la radio del movimiento, del sistema educativo y de los púlpitos de las iglesias, se propagó una única interpretación de la Guerra Civil española. Hasta 1975, la propaganda oficial nutrió cuidadosamente los recuerdos de la guerra y de la sangrienta represión, tanto para humillar a los vencidos como para recordar a los vencedores -implicados en las redes franquistas de corrupción y represión- que entre ellos y la venganza de sus víctimas solamente quedaba el Caudillo.

Por lo tanto, para los españoles, incluso después de la muerte del dictador, el problema de encararse con la memoria de la Guerra Civil estaba agravado por el hecho de que un ambiente de guerra continuó vigente unos cuarenta años después de su final formal. La dictadura había impuesto una memoria histórica única, pero había otras, muchas otras, escondidas y reprimidas. Uno de los primeros y más sagaces pensadores españoles, José Castillejo, lo había previsto al escribir en 1937 que 'la guerra, el pánico, la miseria y la memoria de los crímenes horribles seguramente van a impedir la libertad por mucho tiempo'. En los primeros meses de la transición a la democracia, el miedo a una nueva guerra civil pugnaba con los deseos insatisfechos de recuperar la memoria histórica republicana. Al fin, el deseo de contribuir en lo que fuera posible al restablecimiento, y luego la consolidación de la democracia, produjo su efecto tanto sobre la clase política como sobre la población en general. La renuncia a la venganza, que fue una precondición esencial para el cambio, se dio como un acuerdo tácito de todo el espectro político, con la excepción de algunos marginados lunáticos. Los fantasmas de la Guerra Civil y de la represión franquista pesaron sobre España, y, con la finalidad de no abrir viejas heridas, sucesivos gobiernos conservadores y socialistas serían siempre muy cautelosos respecto a la financiación de conmemoraciones, excavaciones e investigaciones.

## La democracia y la reconstrucción del pasado

El deseo general de la gran mayoría del pueblo español de asegurar una transición pacífica a la democracia y de evitar una repetición de la violencia de una guerra civil, finalmente, superó cualquier deseo de venganza. Esta determinación colectiva de contribuir por todos los medios posibles al restablecimiento de la democracia se plasmó en una cortina de silencio en aras de alentar el crecimiento de la frágil flor de la

democracia. Por tanto, hubo muy pocas iniciativas oficiales de reconstruir el pasado, y se produjo una cierta reticencia dentro del sistema de enseñanza a la hora de explicar la historia del periodo de la guerra. Sin embargo, en el ámbito local, muchos historiadores seguían investigando la represión franquista y, en ocasiones, las listas de víctimas que aparecieron en sus libros representan las únicas lápidas para el recuerdo de la suerte de las víctimas. A pesar de su valor crucial en términos políticos, y de su importancia como medida de la gran madurez política del pueblo español -traumatizado tanto por la Guerra Civil como por la experiencia de la dictadura de Franco-, el 'pacto del olvido' restringió relativamente poco la labor de los historiadores. De hecho, en La Rioja, en Cataluña y en Aragón, se habían seguido investigando los aspectos más desagradables de la Guerra Civil española, a pesar del 'pacto'. En otras regiones, la inestable tregua con el pasado se rompió pronto con la aparición de varias obras importantes sobre la represión en Andalucía, en Extremadura, en Galicia y otras regiones que se habían encontrado dentro de la zona nacional durante toda o parte de la guerra y la posguerra. En los últimos diez años, lo que empezó siendo un delgado hilo se ha convertido en una riada de libros,

escritos desde muchas ópticas, pero cuyo resultado final ha sido una visión muy crítica del papel que jugaron los militares insurrectos en 1936.

Además de las obras de historia, en los últimos cinco años, se ha visto el surgimiento de un movimiento popular de recuperación de la memoria histórica. Nutrido, por una parte, de un sentido de que la democracia está ya suficientemente consolidada para sostener un debate serio sobre la Guerra Civil y sus consecuencias. Subyace también bajo este movimiento una terrible urgencia basada en una conciencia de la inevitable desaparición de los testigos. Sin necesidad de entrar en el enconado territorio de la conciencia de que hay muchas memorias históricas distintas para los mismos acontecimientos, se puede decir que el concepto de recuperación de la memoria ha calado muy hondo en un pueblo que la había clausurado entre rejas durante tantas décadas. Ha comenzado un proceso de excavaciones de fosas, de grabación de los testimonios de muchos ancianos y de elaboración de documentales sobre lo ocurrido. La consecuencia es que, a casi setenta años de su estallido, la Guerra Civil española y sus secuelas todavía generan discusiones apasionadas y a veces crispadas.

La ruptura del tabú del llamado 'pacto del olvido' ha tenido un impacto dramático e inesperado. La creación de asociaciones dedicadas a la recuperación de la memoria histórica, y el comienzo del intento de localizar los restos mortales de los desaparecidos, han ayudado a cerrar las heridas emocionales de las familias de las víctimas. Las frecuentes noticias sobre la exhumación de fosas y osarios, la creación de itinerarios urbanos y rurales que dan a conocer los lugares donde acontecieron determinados hechos de la resistencia, y que se están convirtiendo, pausadamente, en 'lugares de memoria', todo esto ha suscitado el temor de los nostálgicos. No es ninguna casualidad el resurgimiento de la polémica a manos de unos autores que pretenden argumentar que los sufrimientos de las víctimas republicanas estuvieron, de alguna forma, justificados.

De manera que en el momento preciso en que sale este libro, se vuelve a luchar la Guerra Civil española en el terreno de los libros. Existe un autodenominado revisionismo que alega que los avances historiográficos de los últimos treinta años, en toda su infinita variedad, son fruto de una conspiración tácita para imponer lo que han llamado una versión uniforme y políticamente interesada de la historia de la Guerra Civil y el régimen que le siguió. Los llamados revisionistas resucitan las versiones propagadas en los años del franquismo, de Tomás Borrás, de Eduardo Comín Colomer, de Mauricio Karl, presentando la Guerra Civil como una cruzada religiosa y heroica en contra de una conspiración bestial judeo-bolchevique-masónica, retratando a los vencidos como los peleles de Moscú y los perpetradores sangrientos de sádicas atrocidades. Dichos escritores presentan los inmensos logros de investigación de dos generaciones de historiadores españoles como la producción de mitos políticamente correctos. Al hacerlo, han añadido un nivel más de crispación al cotidiano debate político en España. Es posible que, inadvertidamente, hagan un servicio a la consolidación de la democracia, porque la Guerra Civil española no podrá pasar a la 'historia'

Sacerdote capturado por las fuerzas republicanas antes de ser fusilado. Siétamo, Huesca, 1936. (J. Guzmán)

El tradicional anticlericalismo de las clases populares y el hecho de que la Iglesia fuera considerada cómplice del alzamiento, al que justificó en diversas pastorales y dio el carácter de "cruzada", hizo que la Iglesia y sus miembros fueran duramente perseguidos en la zona republicana, salvo en el País Vasco. Se prohibió el culto público y se suprimieron los símbolos religiosos de la vida cotidiana. Un gran número de curas, frailes y monjas fueron detenidos y muchos fueron asesinados o fusilados. Otros lograron esconderse en las embajadas y consulados extranjeros o salir del país, como hizo hasta un hermano fraile del dirigente socialista, y pronto presidente del gobierno republicano, Juan Negrín.

Primera Brigada de Navarra.
Tercio de Montejurra saliendo
de Teruel, 1938.

Las milicias de los monárquicos carlistas (requetés) se habían organizado a finales de la primera década del siglo XX y principios de la segunda, pero lograron su mayor desarrollo durante la Segunda República, cuando se institucionalizaron como una organización estrictamente paramilitar mediante las "Ordenanzas del Requeté", elaboradas por el coronel Varela en 1934. Tres requetés (grupos de unos 250 hombres) formaban un Tercio. Durante la guerra estos tercios fueron sometidos a la estructura del ejército formando las llamadas Brigadas de Navarra (feudo tradicional del carlismo). La primera Brigada estaba dirigida por García Valiño y jugaría un papel importante en la campaña del norte y en la batalla de Teruel.

hasta que se hayan ventilado los resentimientos y odios que todavía quedan. Han subrayado más la urgencia, no de remover las cenizas, sino de investigar, demostrar y recordar lo que fue la guerra española: no una guerra de malos y buenos, según la óptica de quien escriba, sino una experiencia traumática, de sufrimiento masivo, en la que los ganadores fueron muy pocos y los perdedores muchísimos (y no solamente republicanos).

## Recuperación de la memoria en España y Europa

La recuperación de la memoria es un acto de responsabilidad no solamente para quienes directamente sufrieron la cárcel y la persecución, y para aquellos que en modos e intensidades distintas se opusieron a la dictadura, sino también, y sobre todo, para una generación joven que desea y necesita saber lo que le ha sido ocultado. Prueba de ello son las avalanchas de libros que sobre el tema salen cada mes, la disponibilidad de los canales de televisión para encontrar espacio a muy serios documentales sobre la materia, y el hecho de que tantos actos, conferencias y charlas en centros de enseñanza se llenen tan frecuentemente de público. Estas fotografías contribuyen, tanto o más que las palabras, a satisfacer el ansia de saber de muchos, y presentan imágenes tan vivas que nos ayudan a recordar y a entender las inquietudes, las ilusiones, las ambiciones, las tragedias y los sufrimientos de ambos bandos.

Su publicación nos sirve de aliciente para reflexionar sobre la tremenda importancia de la Guerra Civil española, no solamente para los españoles sino para toda Europa. Hace unos años, el distinguido diplomático y escritor italiano, Sergio Romano, embajador en Moscú de 1985 a 1990, desató en su propio país y también en España una fascinante polémica sobre la naturaleza de la Guerra Civil española. Romano es un intelectual y un historiador con irreprochables credenciales liberales. No obstante, un artículo suyo titulado 'Las dos guerras de España' provocó en respuesta airadas réplicas debido a la idea contenida en él de que, a la larga, el triunfo de Franco contra la Segunda República benefició a Europa, porque evitó una victoria republicana, la cual, en opinión de Romano, habría supuesto la implantación en España de un régimen similar al de las 'democracias populares' impuestas en la Europa del este después de la Segunda Guerra Mundial. Ese argumento se hacía eco de otros similares utilizados por el régimen de Franco durante los años de la guerra fría y después. Curiosamente, similares alegatos han resurgido en los últimos años en Gran Bretaña, en los escritos de Robert Stradling y de Anthony Beevor; y en los Estados Unidos, en un libro reciente de Stanley Payne sobre la Unión Soviética y la Guerra Civil española, y en el prólogo de Ronald Radosh a un libro de documentos procedentes de archivos rusos. Todos ellos sugieren, con cierta vehemencia, que una victoria republicana habría terminado por imponer una 'democracia popular' dominada por los comunistas, o sea, una dictadura estalinista. Otro elemento que contribuye a esta interpretación se encuentra resumido en el título *Comintern Army*, un libro de otro escritor americano, R. Dan Richardson, sobre los voluntarios extranjeros que lucharon con la República en las Brigadas Internacionales.

De hecho, es absurdo comparar la República española de fines de los años 30 con la Polonia o la Checoslovaquia de fines de los 40, lo mismo que lo es pensar que los voluntarios que vinieron a España llegaron siguiendo órdenes de Moscú. Hacerlo supone ignorar hechos cruciales de índole geográfica y cronológica. La Europa occidental anterior a la Segunda Guerra Mundial no era igual a la Europa oriental posterior a la conflagración. La mentalidad defensiva que llevó a la determinación soviética de rodearse de dóciles satélites o estados tapones fue un producto en sí mismo de la agresión nazi, una agresión percibida en Moscú como algo que había sido alentado por las democracias occidentales. Para poner en perspectiva las interpretaciones de Sergio Romano, Stanley Payne, R. Dan Richardson o Anthony Beevor, resulta esencial comprender tanto la naturaleza de la Guerra Civil española como del contexto europeo dentro del cual tuvo lugar.

## La destrucción de la izquierda europea y el ascenso fascista

Los años entre 1918 y 1939 fueron un período marcado por una serie virtualmente ininterrumpida de ataques por parte de la derecha europea contra la clase obrera organizada. Al aplastamiento de la revolución en Alemania y Hungría tras la Primera Guerra Mundial, le siguió la destrucción de la izquierda llevada

a cabo por Mussolini en Italia, la implantación de sendas dictaduras en Portugal y España, y la derrota de la huelga general en Gran Bretaña. La subida al poder de Hitler en 1933 representó el comienzo de la aniquilación del movimiento obrero más poderoso de Europa, y en 1934 Dollfus aplastó a la izquierda austriaca. El caso de Austria es especial, ya que por primera vez los obreros tomaron las armas contra el fascismo en 1934. Trágicamente, ya era demasiado tarde, y el efecto dominó no cejó de avanzar en los demás países de Europa central. La Guerra Civil española que estalló en 1936 sería la batalla más dura de una guerra civil europea que se estaba llevando a cabo desde el triunfo bolchevique de 1917. La guerra española fue esencialmente española en su origen, pero en seguida se convirtió en una batalla más en el interior de esta más amplia guerra europea. Lo veremos tanto en la ayuda italo-alemana a Franco como en la ayuda soviética a la República; y también en algo que, igualmente o más, facilitó la victoria de Franco: la política franco-británica de no-intervención.

En 1996, el gobierno español, en un tardío gesto de gratitud, otorgó la ciudadanía a los miembros supervivientes de las Brigadas Internacionales que lucharon contra el fascismo durante la Guerra Civil española. Refugiados italianos, alemanes y austriacos vieron en la Guerra Civil española su primera oportunidad de luchar contra el fascismo y, eventualmente, poder regresar a sus hogares. Los voluntarios franceses, británicos y norteamericanos provenientes de las democracias abandonaron sus hogares y sus familias para hacer el arduo viaje hasta España debido a la preocupación de lo que podría significar la derrota de la República para el resto del mundo. Algunos eran desempleados, otros intelectuales, unos pocos aventureros, pero todos habían venido para combatir al fascismo. Las Brigadas Internacionales jugaron un papel de suma importancia en la defensa de Madrid contra el inicial asalto rebelde, y al lograr repeler durante dos meses consecutivos los diversos esfuerzos nacionales por cortar la carretera Madrid-La Coruña hacia el noroeste.

**Muerte de un miliciano (R. Capa)**

El húngaro Robert Capa (seudónimo de Andrei Friedmann) fue uno de los mejores fotógrafos de la Guerra Civil. Esta mítica foto, tomada en el cerro Muriano el 5 de septiembre de 1936 y publicada por primera vez en la revista *Life,* el 12 de julio de 1937, se ha convertido en símbolo de la movilización popular que permitió la resistencia republicana: la desintegración del Estado y la desconfianza hacia los mandos militares que siguió a la sublevación hizo que en los primeros meses de la guerra la defensa de la República quedara en manos de columnas y batallones de voluntarios organizados por las distintas fuerzas que apoyaban al Frente Popular. Así, la Guerra Civil fue también uno de los fenómenos milicianos más importantes de la historia de la Europa contemporánea.

30 de septiembre de 1936.
Tras el fin del asedio. (Cortés)

En el desorden que siguió a la
sublevación, algunos cuarteles o
barrios de diferentes ciudades
quedaron sitiados por miembros
del bando contrario. Esto
sucedería en el Alcázar de
Toledo, cuyos sólidos e inmensos
muros permitían una defensa
relativamente fácil, por lo que la
artillería republicana se dedicó
desde mediados de septiembre a
demolerlos sistemáticamente.
Sobre las ruinas seguirían
resistiendo los sitiados, mientras
los no combatientes se
refugiarían en los sótanos y, a
través de uno de los agujeros
provocados por las bombas
republicanas, saldrían los
defensores del Alcázar al ser
liberados.

Desde un punto de vista moral, es incalculable el valor de los brigadistas como modelo antifascista. El 22 de junio de 1937, poco antes de morir en
el campo de batalla, un voluntario norteamericano llamado Gene Wolman escribió lo siguiente a su familia: 'Por primera vez en la historia, por primera vez
desde que el fascismo empezó a estrangular y despedazar todo lo que amamos,
tenemos la oportunidad de devolverle los ataques. Mussolini llegó... sin oposición
a Roma. Hitler presume de que conquistó el poder sin pérdida de sangre... En la
pequeña Asturias, los mineros presentaron una resistencia heroica aunque sin
éxito contra las fuerzas reaccionarias de España. En Etiopía, la maquinaria fascista pudo imponer su voluntad sin ninguna oposición unificada. Incluso en la
América democrática, la mayoría ha sufrido una especie de opresión sin poder
contraatacar... Aquí finalmente se han unido los oprimidos de la tierra, aquí
finalmente tenemos arias, aquí podemos devolver golpe por golpe. Aquí, incluso
si perdemos..., en la misma lucha, en el debilitamiento del fascismo, habremos
ganado'. Gene Wolman tenía razón. La República española debilitó seriamente la
capacidad bélica de la Italia fascista. Además, mientras la República se mantuvie-
ra en la lucha, Hitler no podía atacar a Francia y, por tanto, Gran Bretaña tuvo
más tiempo para rearmarse. Y mientras esto sucedía, las potencias occidentales
no demostraron la más mínima gratitud.

## La guerra antifascista en toda Europa

Los españoles fueron los primeros en entrar en el campo de batalla de una guerra que no acabaría hasta 1945. Estos 'antifascistas prematuros' fueron vilipen-
diados cuando volvieron a sus hogares en Gran Bretaña, fueron tratados como la
'hez de la tierra' en los campos de internamiento franceses o considerados como
peligrosos y 'antiamericanos' en Estados Unidos. Pese a ello, los voluntarios que
sobrevivieron al conflicto español lucharon en la Segunda Guerra Mundial; después de todo, la guerra antifascista era su guerra. La sugerencia de que la lucha
de los brigadistas y del pueblo español no fue una lid contra el fascismo español
y sus aliados italianos y alemanes, sino que formó parte de un intento ruso de
establecer su primera democracia popular menosprecia su idealismo y su sacrifi-
cio, y demuestra asimismo una incomprensión considerable del significado de la
Guerra Civil española.

Sugerir que la defensa de la República tuvo como objetivo sentar las
bases de la primera 'democracia popular' es aceptar la historiografía del Congreso
por la Libertad de la Cultura patrocinado durante la guerra fría por la CIA. La
España anterior a 1939 no era la Europa del este posterior a 1945. El comporta-
miento de la Unión Soviética al crear un cordón sanitario en Europa Oriental fue
una respuesta al trauma de la invasión perpetrada por la Alemania nazi. No se
puede hacer ahora, aquí, una extrapolación para denunciar la política soviética
de los años 30 en España. Cuando la República fue abandonada por las potencias
occidentales y atacada por Franco, Mussolini y Hitler, sólo la Unión Soviética
acudió en su ayuda. Por supuesto, Stalin no lo hizo por idealismo ni sentimenta-
lismos. El caso fue que, amenazado por el expansionismo alemán, esperaba con-

tener la amenaza por medio de una alianza con Francia, al igual que lo habían hecho sus predecesores zaristas. Se temía con toda razón que si Franco ganaba la guerra con la ayuda de Hitler, Francia caería. En consecuencia, Stalin decidió dar ayuda suficiente a la República para mantenerla con vida mientras se aseguraba de que los elementos revolucionarios de la izquierda no llegasen a provocar a los conservadores de Londres y estos se decantasen por apoyar al Eje en una cruzada antibolchevique.

Es evidente, pues, que para entender tanto la marcha de los acontecimientos durante la Guerra Civil española como su resultado y sus consecuencias, hay que verlo como un episodio de la guerra civil europea contestada en el campo de batalla español. En cambio, para entender los orígenes de la Guerra Civil, hay que buscar en suelo español y antes del establecimiento de la Segunda República. La noticia de la salida al exilio del rey Alfonso XIII, el 14 de abril de 1931, fue recibida con escenas de alegría popular en la mayor parte de las ciudades españolas importantes. Los que bailaban en las calles, en un arranque de alegría anticipada, esperaban que la nueva democracia introdujera un programa radical de reformas sociales para mejorar la vida diaria, tanto de la clase obrera industrial

como de la inmensa masa de campesinos sin tierra que trabajaban en los latifundios del sur en condiciones de pobreza tales que hacían que, desde muchos años atrás, su situación apenas se diferenciara de la esclavitud. El nuevo régimen despertó esperanzas desmesuradas entre los miembros más humildes de la sociedad; en cambio, las clases más privilegiadas, los banqueros, los industriales, los terratenientes y sus defensores en las Fuerzas Armadas y en la Iglesia lo consideraron una amenaza. Por primera vez en la historia, el aparato del Estado pasó de manos de la oligarquía a la izquierda moderada. Ésta consistía en los representantes del sector más reformista de la clase obrera organizada, los socialistas, y un grupo variopinto de pequeños burgueses republicanos, algunos de los cuales eran idealistas, aunque también había elementos cínicos. Los componentes de la coalición republicano-socialista esperaban que, juntos, pese a considerables desacuerdos en cuanto a los detalles más sutiles, usarían el poder estatal para crear una nueva España que pusiera coto a la reaccionaria influencia de la Iglesia y el Ejército, y dividiera los inmensos latifundios, y satisficiera las exigencias autonómicas de los regionalistas vascos y catalanes. Estas esperanzas, y el ambiente de fiesta popular que dio la bienvenida a la República, pronto se vieron empañados por la enorme fortaleza que tenían las defensas del antiguo régimen.

## El desgaste del proyecto republicano

Desgraciadamente, el margen de maniobra de la República se vio muy limitado. Se estableció en medio de una gran depresión económica, y las severas condiciones climatológicas del invierno de 1930-1931 supusieron la pérdida generalizada de las cosechas. Durante los dos primeros años de la Segunda República en España, entre 1931 y 1933, la coalición de socialistas moderados y republicanos liberales de clase media intentó implementar su programa de reformas sociales al mismo tiempo que trató de quebrantar el poder de los dos grandes pilares del antiguo régimen: la Iglesia Católica y el Ejército. Se aprobaron créditos especiales para hacer posible un plan para la creación de 27.000 nuevas aulas y para los maestros que se hicieran cargo de ellas. Muchos intelectuales participaron en las llamadas misiones pedagógicas que llevaron clases de alfabetización, bibliotecas ambulantes y teatros populares a los pueblos más remotos de la España rural. Quedaron horrorizados al comprobar que el hambre de cultura a menudo iba acompañada de hambre física. El dramaturgo Alejandro Casona comentaba que 'les hacía falta pan y medicinas y no teníamos más que canciones y poemas en la bolsa misionera'.

Una parte del problema era que la agenda de la coalición republicano-socialista era demasiado apretada y apresurada. Los socialistas tenían un proyecto que desafiaba a latifundistas, industriales y banqueros. Los republicanos tenían un proyecto que desafiaba a la Iglesia Católica y al Ejército. Era inevitable que el programa de gobierno consiguiente provocara conflictos; aunque puede entenderse fácilmente por qué pensaron que había que proceder aprisa. Lo que pretendían hacer entraba necesariamente en confrontación con los grandes baluartes de poder. El cambio de régimen nada había cambiado en las estructuras socioeconómicas; es decir, la propiedad de la tierra, los bancos y la industria, así como de los

Frente de Madrid, El Escorial, cochecito cogido al enemigo.

Durante varias semanas desde el inicio de la guerra, las milicias republicanas, formadas por soldados, voluntarios de diferentes partidos y guardias, lograron contener el avance de las tropas sublevadas en la sierra norte de Madrid. Pero el avance de las tropas de Yagüe hacia la capital desde el sur, y su unión con las tropas de Mola que avanzaban desde el norte, hizo más difícil contenerles. A finales de octubre, Madrid estaba cercada por el sur y el norte, y tanto corresponsales extranjeros como los mismos dirigentes franquistas, y algunos republicanos, daban por hecha la caída de la capital, que se llegó a anunciar con antelación.

La Cruz Roja desempeñó una
importante labor humanitaria
durante la guerra, en servicios
asistenciales y hospitales. Aunque,
dada la forma de vestir de la
mujer, esta foto probablemente
esté tomada en zona republicana,
la organización actuaría en
ambos bandos. Buscó humanizar
la guerra, intentando extender la
Convención de Ginebra de 1929
sobre trato de prisioneros de
guerra al conflicto español, y el
delegado general del Comité
Internacional de la Cruz Roja
llegó a viajar a las dos zonas en
conflicto entre finales de agosto y
principios de septiembre de 1936
para supervisar el trato dado a los
prisioneros y las condiciones en
las retaguardias.

principales periódicos y radios. Aquellos que detentaban el poder estaban unidos
a la Iglesia y el Ejército en su determinación de evitar cualquier ataque a la propiedad, la religión o la unidad nacional. El repertorio defensivo era rico y variado. La propaganda, por medio de la prensa derechista y desde el púlpito de cada
parroquia, denunciaba los esfuerzos de los líderes progresistas de la República por
llevar a cabo las reformas como una labor subversiva que llevaba la firma de
Moscú. Fundaron nuevos partidos políticos y organizaron un generoso fondo de
dinero para montar una defensa legal de los intereses de los sectores más podero-
sos de la sociedad. Conspiraciones para derrocar al nuevo régimen se sucedían
una tras otra. El gobierno y los sindicalistas que trataban de implantar la tímida
reforma agraria en el sur eran aterrorizados por matones pagados por los grandes
terratenientes. El *lockout* patronal rural e industrial se convertía en una respuesta normal ante cualquier legislación que tratara de proteger los derechos de los trabajadores. Aunque el proyecto republicano era fundamentalmente moderado, la
prensa y las emisoras de radio de derechas vilipendiaron estos intentos de moder-
nizar España como un asalto a los apreciados valores tradicionales.

Los obstáculos opuestos a la reforma tuvieron tal éxito que, hacia
1933, la coalición socialista-republicana empezó a desmembrarse. El éxito de la
resistencia de la derecha a las reformas provocó divisiones en el seno del Gobierno. Desilusionados por la lentitud de la reforma, los socialistas decidieron romper la coalición para disputarse las elecciones de noviembre de 1933 solos, con la
esperanza de establecer un gobierno exclusivamente socialista que llevara a cabo
un cambio más enérgico. En parte, esto fue resultado de la diferencia de priori-
dades que tenían los componentes de la misma; a los republicanos les importaba
en primer lugar reformar las instituciones, relegar el poder de la Iglesia y frenar
el auge del militarismo; a los socialistas les interesaba más la legislación laboral
y la reforma social. En un sistema electoral que favorecía fuertemente las coali-
ciones, fue un trágico error la decisión de los socialistas de presentarse solos a las
elecciones de 1933. En un ambiente de pucherazo electoral y de amenazas, tanto
de los terratenientes como de la Guardia Civil en las zonas del sur, supuso un
error táctico que entregó la victoria a un grupo de partidos de la derecha, una
derecha decidida a desmantelar las reformas sociales de la República.

## El ascenso de los radicales

Los patronos y los terratenientes celebraron la victoria al regresar a las relaciones
semifeudales de dependencia que habían constituido la norma antes de 1931,
bajando los salarios, desahuciando arrendatarios y subiendo los alquileres. Al
mayor partido, la Confederación Española de Derechas Autónomas, el Presidente
de la República, el republicano conservador Niceto Alcalá Zamora, no le ofreció
la posibilidad de formar gobierno porque sospechaba que su líder, José María Gil
Robles, tenía unas ambiciones más o menos fascistas de establecer un régimen
corporativo y autoritario. De ese modo, el gobierno pasó a manos del cada vez más
conservador Partido Radical. Como los radicales dependían de los votos de la
CEDA, se convirtieron en títeres de Gil Robles. Se desmanteló la legislación social

**Clases para milicianos.**

La política educativa realizada por la República desde su proclamación se continuó durante la guerra con la actividad de diferentes instituciones, como Cultura Popular, la Federación Universitaria Escolar o los "Rincones de Cultura", que cobrarían un gran desarrollo en las zonas en que los frentes se estabilizaron. Estas instituciones realizarían cursos de distintos niveles que iban desde la enseñanza elemental a la formación para la entrada en institutos obreros o en escuelas militares. También organizarían conferencias, proyecciones de películas o bibliotecas ambulantes. En estas actividades tendrían un importante papel los jóvenes estudiantes de las diferentes organizaciones juveniles republicanas, como la Juventud Socialista Unificada o la Federación Ibérica de Juventudes Libertarias. Intentando coordinar y dar más cobertura a las diferentes iniciativas que habían ido surgiendo, el Ministerio de Instrucción Pública creó, en enero de 1937, las llamadas "Milicias de la Cultura", integradas en el Ejército Popular y que utilizarían como instrumento básico de alfabetización la llamada Cartilla Escolar Antifascista.

y los principales sindicatos se debilitaron uno tras otro a medida que se provocaban y reprimían huelgas, de las cuales la mayor fue la huelga nacional de los trabajadores agrícolas en el verano de 1934. Las constantes infracciones de la legislación laboral habían llevado finalmente al sindicato socialista de jornaleros, la Federación Nacional de Trabajadores de la Tierra, a convocar una huelga general de campesinos en el verano de 1934. Los líderes sindicalistas cumplieron meticulosamente los trámites necesarios para que la huelga fuese legal, pero el Ministro de la Gobernación, Rafael Salazar Alonso, representante de los terratenientes de una de las provincias más conflictivas, Badajoz, encontró en ella la ocasión para acabar con la federación. Declaró la cosecha un servicio público nacional, lo que militarizó de hecho a los obreros agrícolas, de modo que miles de huelguistas fueron arrestados y encarcelados a cientos de kilómetros de sus hogares. La cosecha se sacó adelante con maquinaria y mano de obra barata de Portugal y Galicia. La FNTT fue mutilada, los miembros de los sindicatos sufrieron el acoso de la Guardia Civil y la seguridad de las fincas se reforzó para evitar que los campesinos aliviaran su hambre mediante la caza furtiva o el robo de los cultivos.

Casi toda la izquierda creía que Gil Robles trataba de destruir la República por completo. Reinaba una gran tensión en el ambiente. La izquierda veía el fascismo en cada gesto y acción de la derecha; la derecha olía revolución en cada maniobra de la izquierda. Los socialistas empezaron a amenazar con un levantamiento revolucionario con la esperanza de obligar al Presidente Alcalá Zamora a convocar nuevas elecciones y así evitar la destrucción de la República. En cambio, Gil Robles y Rafael Salazar Alonso vieron las amenazas de los socialistas como una oportunidad de aplastar a la izquierda. Así, el 4 de octubre de 1934, Gil Robles insistió en que la CEDA entrara a formar parte del Gobierno sabiendo que provocaría una rápida respuesta de la izquierda. El sindicato socialista, la Unión General de Trabajadores, convocó una huelga general que fue un fracaso en casi toda España debido en gran parte a la declara-

ción del estado de guerra y la vacilación de los líderes socialistas que no habían previsto semejante reacción. En Barcelona, tuvo corta vida el estado independiente de Cataluña 'dentro de la República Federal de España'. Sin embargo, en la cuenca minera de Asturias, la espontánea militancia obrera obligó a los líderes socialistas locales a unirse al movimiento revolucionario organizado por la UGT, la CNT anarcosindicalista y, más tarde, los comunistas, todos unidos en la Alianza Obrera. Durante tres semanas, una comuna revolucionaria resistió heroicamente el acoso de las fuerzas represivas coordinadas por el general Franco, hasta que al final debieron rendirse ante los duros ataques de la artillería y los bombardeos aéreos.

## Orígenes de la Guerra Civil en el contexto español y europeo

Ésa fue, en cierta medida, la primera batalla de la Guerra Civil, pero no se puede decir -como se ha alegado últimamente- que fue la causa de la Guerra Civil. Como hemos visto, los orígenes de la contienda se remontan a toda una serie de conflictos anteriores, rencores agrarios entre latifundistas y jornaleros; conflictos industriales entre empresarios y obreros de las fábricas, resentimientos de muchos oficiales de las Fuerzas Armadas respecto a las reformas militares de Azaña y respecto a los movimientos autonómicos catalán y vasco; odios mutuos entre católicos y anticlericales. En ese momento, tras haber aplastado la huelga de octubre -como habían previsto Gil Robles y Salazar Alonso-, la derecha pudo vengarse con un salvajismo considerable. Se silenció a la prensa de izquierdas, los sindicatos fueron clausurados y casi 30.000 izquierdistas fueron encarcelados. El terror desencadenado en Asturias por el ejército de África fue el otro peldaño que elevó el terror de la guerra colonial en Marruecos al terror posterior ejercido contra la población civil de la República a lo largo de la Guerra Civil. En Asturias, el ejército africano desató una ola de terror que respondía más a sus prácticas habituales de penetración en los pueblos marroquíes que a cualquier amenaza procedente de los revolucionarios derrotados. Saquearon viviendas, fusilaron al azar a hombres, mujeres y niños inocentes, y cometieron abusos sexuales.

En consecuencia, las bases de la izquierda vieron claramente las consecuencias de su desunión. La sangrienta represión ocurrida tras la derrota del levantamiento asturiano sería el caldo de cultivo del que nacería el Frente Popular aunque sus objetivos al principio no fueron revolucionarios. Fue obra principalmente de dos hombres: el ex-presidente de gobierno, Manuel Azaña, líder de Izquierda Republicana, e Indalecio Prieto, líder centrista del Partido Socialista. Los dos, pragmáticos moderados, se mostraron dispuestos a que no se repitieran las divisiones que dieron lugar a la derrota electoral de 1933. Azaña trabajó duro para reunificar los distintos y pequeños partidos republicanos; mientras Prieto, desde su exilio en Bélgica, se dedicaba a neutralizar el extremismo revolucionario de la izquierda socialista liderada por Francisco Largo Caballero. En la segunda mitad de 1935, Azaña fue el principal orador en una serie de concentraciones multitudinarias en Bilbao, Valencia y Madrid, conocida como los "discursos en campo abierto". El sólido entusiasmo que despertó la unidad de izquierdas en cientos de miles de asistentes ayudó a convencer a Largo Caballero de que debía abandonar su oposición a la reorganización de la coalición electoral republicano-socialista de 1931, la que eventualmente se convirtió en el Frente Popular. Al mismo tiempo, el pequeño Partido Comunista de España, empujado por la ansiosa necesidad de Moscú de llegar a un acuerdo con las democracias contra las agresivas ambiciones del Tercer Reich, utilizó su influencia sobre Largo Caballero a favor del Frente Popular. Sabían que Largo Caballero, a fin de darle un más marcado carácter proletario, insistiría en que se admitiera al todavía muy pequeño Partido Comunista. De este modo, los comunistas se hicieron sitio dentro de un frente electoral que, contrario a la propaganda de la derecha, en España no fue una creación del Comitern, aunque tomara el nombre de Frente Popular acuñado en 1935 durante el VII Congreso del Comitern. La izquierda y el centro-izquierda cerraron filas sobre la base de un programa de amnistía para los presos, reforma social y educativa y libertad sindical.

A fines del 35, se colapsó el Partido Radical bajo una oleada de acusaciones de corrupción y presiones de Gil Robles para que se llevase a cabo una política más de derechas. Se convocaron elecciones para mediados de febrero de 1936. Después de la sequía de 1935, el paro aumentó hasta superar en algunos

Mujer llora después del bombardeo. (A. Centelles)

Los bombardeos aéreos y de artillería sobre poblaciones civiles produjeron muchas víctimas inocentes, como muestra esta foto en que una mujer llora ante el cadáver de su hijo. Muchos otros civiles quedarían marcados y lisiados para toda su vida.

**Aseo en el frente.**

Esta foto muestra una estampa inusual de barberos militares cortando el pelo y afeitando a los soldados. La cotidianeidad fue más bien otra y, como en todas las guerras, el problema de la higiene fue una constante en los frentes de batalla en ambos bandos, dada la inexistencia de ni siquiera mínimas instalaciones y condiciones de salubridad. Así, era corriente que los soldados tuvieran sarna, piojos y otras enfermedades.

lugares el 40% y los mendigos atestaron las calles de las ciudades. El odio se avivó. Al convivir en tan estrecha vecindad, las clases hambrientas y las clases rurales acomodadas medias y altas se observaban mutuamente con miedo y resentimiento. La aversión se intensificó durante la campaña de la derecha para las elecciones de febrero de 1936, que vaticinaba que una victoria de la izquierda significaría 'saqueos incontrolados y la propiedad común de las mujeres'. En toda España, la derecha disfrutaba de inmensas ventajas financieras como para montar una campaña dirigida a asustar a las clases medias. Las elecciones se presentaron como una lucha a vida o muerte; supervivencia o destrucción. El Frente Popular basó su campaña en el peligro del fascismo, las amenazas que debía enfrentar la República y la necesidad de una amnistía para los presos de octubre. Las elecciones se celebraron el 16 de febrero y dieron la victoria por escaso margen de votos a la izquierda, la cual sin embargo obtuvo una mayoría aplastante de escaños en las Cortes. El Frente Popular inmediatamente empezó a restablecer el programa de reformas de 1931.

Aun sin la apocalíptica provocación de la campaña electoral de la derecha, los desastres naturales agravaron la tensión social en el sur. Tras la larga sequía de 1935, a principios de 1936 las fuertes lluvias arruinaron la recogida de la oliva y dañaron los cultivos de trigo y de cebada. La victoria de la izquierda en las elecciones coincidió con una tasa de paro aún mayor. En los pueblos de Andalucía y Extremadura, las clases medias locales estaban horrorizadas ante los signos de júbilo popular, el ondeo de las banderas rojas y los ataques a los casinos. Se emprendió el fortalecimiento de la legislación laboral y los obreros fueron 'alojados' en fincas sin cultivar. Los terratenientes se mostraban furiosos ante la evidencia de que la sumisión campesina llegaba a su fin. Aquellos a los que tenían por serviles demostraban ahora con firmeza que no estaban dispuestos a que les engañara arrebatándoles la reforma. El cambio dramático en el equilibrio de poder provocó la ira y el miedo de los latifundistas. Muchos de ellos se unieron, financiaron o aguardaron impacientes las noticias de la conjura militar para derrocar a la República. Antes incluso del 18 de julio, la situación de la España latifundista había llegado al límite.

## La derecha se prepara para la guerra

Alarmada por la recién descubierta confianza en la izquierda, la derecha se preparó para la guerra. Octubre de 1934 y la victoria del Frente Popular destruyeron las esperanzas de la derecha de poder imponer un estado corporativo y autoritario sin necesidad de sobrellevar una guerra civil. Gil Robles, tras haber predicho que la victoria electoral de la izquierda sería el preludio de desastres sociales sin precedentes, nada hizo para evitar que los elementos más jóvenes de la CEDA entraran a formar parte de la fascista Falange Española. Al mismo tiempo, él y otros líderes de la derecha propiciaron la inestabilidad social con discursos parlamentarios y en la prensa para crear un ambiente que convenciera a las clases medias de que la única alternativa al caos era un pronunciamiento militar. Por otro lado, dos años de duro gobierno de derechas habían dejado a las masas tra-

bajadoras, en especial en las zonas rurales, con un talante decidido y hambriento de venganza. La izquierda, tras haber visto bloqueadas sus ambiciones reformistas, ahora estaba resuelta, al menos a nivel local, a proceder velozmente con una reforma agraria significativa.

Sin embargo, el problema fundamental en la primavera de 1936 era la terrible debilidad del gobierno del Frente Popular, ya que no se nutría de toda la fuerza de la coalición electoral victoriosa. O sea, era el gobierno del Frente Popular solamente en su nombre. Mientras Prieto estaba convencido de que la situación requería la colaboración socialista en el gobierno, Largo Caballero, temeroso de que las bases se decidieran a apoyar a la CNT anarcosindicalista, insistía en que los republicanos liberales gobernaran solos. Pensaba dejar a los republicanos que cumpliesen el programa electoral del Frente Popular y, una vez rebasadas sus limitaciones pequeño-burguesas, obligarles a dar paso a un gobierno auténticamente socialista. Cándidamente estaba seguro de que si sus reformas provocaban un levantamiento militar o fascista, la acción revolucionaria de las masas lo aplastaría. Por ende, al usar Largo Caballero su poder dentro de la minoría socialista en las Cortes para evitar que Prieto formase gobierno, se aseguraba que no hubiera un auténtico gobierno del Frente Popular. Un consejo de ministros formado sólo por republicanos simplemente no era representativo de la gran coalición electoral que había derrotado en febrero a la derecha. La oleada de ocupaciones de tierras en el sur demostraron que las aspiraciones populares no podían ser satisfechas por un gobierno republicano. Incapaz de satisfacer el hambre reformista de las masas y demasiado débil para poner coto a las preparaciones para un levantamiento militar, el gobierno observaba cómo la Falange orquestaba una estrategia de tensión; su terrorismo provocaba represalias de la izquierda y todo daba la impresión de una ruptura generalizada del orden público.

Se urdió una conspiración militar bajo la dirección del general Emilio Mola, hasta hacía poco tiempo comandante en jefe del ejército de

Mujeres camino del funeral de un soldado nacionalista en Simancas, 1936.

Las mujeres sufrirían las consecuencias de la guerra desde su condición de esposas, madres, hermanas e hijas que pasarían a ser viudas, huérfanas..., en definitiva, a perder a sus familias. Tras el final de la guerra, la distinción entre familiares de "caídos por la patria" o de "rojos" sería tenida muy en cuenta por el Estado franquista a la hora de ayudarlas a rehacer su vida.

África. Mola dispusó una serie de instrucciones reservadas que demostraban que el Ejército no encontraba sentido alguno a su misión de proteger al pueblo español frente a un enemigo externo. Obviamente, el 'enemigo' era el proletariado español. En ese sentido, la mentalidad del alto mando africanista ponía de manifiesto una de las principales consecuencias del desastre colonial de 1898. Sencillamente, la derecha hacía frente a la pérdida de un imperio 'real' en ultramar convirtiéndolo en un hecho interno, es decir, considerando a la España metropolitana como el imperio y al proletariado como la raza colonial sometida. La primera de las instrucciones reservadas de Mola, emitida en abril, declaraba: 'Se tendrá en cuenta que la acción ha de ser en extremo violenta, para reducir lo antes posible al enemigo, que es fuerte y bien organizado. Desde luego, serán encarcelados todos los directivos de los partidos políticos, sociedades o sindicatos no afectos al Movimiento, aplicándose castigos ejemplares a dichos individuos, para estrangular los movimientos de rebeldía o huelgas'. El partido fascista en auge, Falange Española, utilizó escuadras de terror para crear el desorden que justificase la imposición de un régimen autoritario. La respuesta de la izquierda a los atentados terroristas contribuyó a la espiral de violencia. El asesinato, el 13 de julio, del líder monárquico, José Calvo Sotelo, proporcionó a los conspiradores una justificación oportuna.

## Imposición del terror, declaración de guerra y golpe militar

Los conspiradores no habían previsto una guerra civil larga. Pensaban provocar la paralización de las fuerzas de la izquierda a base de la imposición del terror. En su proclamación del *estado de guerra* en Pamplona el 19 de julio de 1936, Mola afirmó: 'El restablecimiento del principio de autoridad exige inexcusablemente que los castigos sean ejemplares, por la seriedad con que se impondrán y la rapidez con que se llevarán a cabo, sin titubeos ni vacilaciones'. Poco después convocó una reunión de todos los alcaldes de la provincia de Pamplona y les dijo: 'Hay que sembrar el terror... hay que dar la sensación de dominio eliminando sin escrúpulos ni vacilación a todos los que no piensen como nosotros. Nada de cobardías. Si vacilamos un momento y no procedemos con la máxima energía, no ganamos la partida. Todo aquel que ampare u oculte un sujeto comunista o del Frente Popular, será pasado por las armas'. Las instrucciones de Mola fueron seguidas al pie de la letra en las ciudades donde el levantamiento de los generales tuvo éxito, o sea, en las capitales de provincia del León rural y de Castilla La Vieja, ciudades como Burgos, Salamanca y Ávila.

Los rebeldes controlaban un tercio de España, un inmenso bloque compuesto por Galicia, León, Castilla La Vieja, Aragón y parte de Extremadura, y un triángulo andaluz comprendido entre Huelva, Sevilla y Córdoba. Tenían las grandes áreas productoras de trigo pero los principales centros industriales permanecían en manos republicanas. En cambio, el golpe fue derrotado por los trabajadores de Madrid, Barcelona y las ciudades industriales del norte. En el sur, el campo se decantó por la izquierda, pero en las grandes ciudades como Cádiz, Sevilla y Granada, la resistencia de la clase obrera se eliminó salvajemente. En las

Bombardeo de Guernica, 1937.

El 26 de abril de 1937, en pleno día de mercado y a media tarde, la Legión Cóndor alemana bombardeó la ciudad vasca de Guernica, capital medieval y tradicional del País Vasco. Dada la inexistencia de objetivos militares o estratégicos, el bombardeo tenía claramente como objetivo amedrentar a la población civil. Aunque la propaganda franquista, dadas las muestras de indignación internacional que produjo el bombardeo, intentó primero culpar a los propios republicanos y, después, hacer ver que el bombardeo había sido realizado por la aviación alemana sin consultar a la dirección franquista, parece claro documentalmente que los alemanes no hubieran realizado una acción de este tipo sin el acuerdo, cuanto menos tácito, de las autoridades españolas. La destrucción de Guernica llevaría a Pablo Picasso a realizar su famoso cuadro, expuesto en el pabellón de la República de la Exposición Universal de París de 1937, que se ha convertido en símbolo de los horrores provocados por las guerras.

ciudades, se habían distribuido armas a militantes de partidos de izquierdas y de sindicatos que rápidamente formaron milicias. Aunque carecían completamente de instrucción, partieron con entusiasmo al frente más cercano para luchar contra los rebeldes. Las milicias de Barcelona, compuestas por anarquistas y por comunistas anti-estalinistas del Partido Obrero de Unificación Marxista, el POUM, fueron a reconquistar Zaragoza. Mientras se desplegaban en avalanchas por Aragón, colectivizaron la tierra. Las columnas que envió Mola contra Madrid fueron detenidas en la sierra al norte de la capital por milicias socialistas y comunistas. En los primeros días de la guerra, las mujeres también se unieron a las milicias y empuñaron las armas, aunque el gobierno republicano trató de mantenerlas alejadas del frente. Pero no era solamente cuestión de combatir el golpe militar sino de aprovechar la oportunidad que supuso. Los militares insurrectos habían provocado el colapso total del aparato del Estado, muchos de cuyos funcionarios simpatizaban con ellos. El subsiguiente vacío de autoridad hizo posible un experimento social singular. Muchos izquierdistas veían la lucha contra el fascismo como una oportunidad para construir un nuevo mundo igualitario que sustituiría la injusticia social que caracterizaba al campo y a las ciudades españolas.

Allí estribaba una de las más centrales debilidades de la República en guerra. El vacío de poder abrió las puertas tanto a los movimientos optimistas de revolución social como a la violencia contra los que se consideraban responsables o simpatizantes del golpe. Aunque el gobierno de la República haría todo lo posible para poner fin a los desórdenes y las atrocidades, sobre todo las cometidas contra el clero, éstas contribuyeron a consolidar la ya notable inclinación de las grandes potencias a favor de los insurgentes. Además, acosada por un golpe militar, la República no pudo sostener los profundos cambios sociales revolucionarios a la vez que tenía que montar una maquinaria bélica. Las necesidades del esfuerzo bélico provocaron un conflicto aniquilador entre si se debeía dar prioridad a hacer la revolución o a derrotar a los rebeldes e impedir, por lo tanto, el florecimiento general de las colectividades industriales y agrarias de la zona republicana. Sin embargo, la forma en que la clase obrera española se enfrentó a la doble tarea de la guerra contra el antiguo régimen y a la construcción de uno nuevo, sigue siendo una de las raíces del interés inagotable por la Guerra Civil, tanto entre los extranjeros como entre los propios españoles. George Orwell lo evocaba así: 'En seguida lo identifiqué como una circunstancia por la que merecía la pena luchar'. El líder anarquista, Buenaventura Durruti, expresó lo que estaba en juego cuando le dijo a un periodista: 'No, no tenemos ningún miedo a las ruinas. Vamos a heredar la tierra. La burguesía puede hacer volar y destruir su mundo antes de abandonar su etapa de la historia. Pero nosotros traemos un mundo nuevo en nuestros corazones'.

## Intensificación del odio y fracaso de la autoridad del Estado

Mientras la izquierda de la zona republicana trataba de construir un mundo nuevo, la derecha de la zona rebelde empezó inmediatamente a consolidar el antiguo orden. Los extremistas de ambas zonas comenzaron a eliminar a los enemigos de clase con un salvajismo horroroso. Pronto se intensificó el odio en ambos bandos, en gran parte como respuesta a las noticias de las atrocidades. En la zona republicana o 'leal', las matanzas de individuos de clase media y alta y del clero católico tuvieron lugar mayormente, pero no siempre, a manos de criminales o de anarquistas fanáticos. El gobierno republicano hizo un enorme esfuerzo por restablecer la autoridad del Estado. El orden público era de la máxima prioridad y, a principios de 1937, terminaron las atrocidades en las zonas controladas por la República. En cambio, en la zona rebelde durante la guerra, y después en la España de Franco, la exterminación del enemigo de izquierdas y liberal formaba parte de una política deliberada.

La respuesta oficial republicana a los desmanes queda caracterizada por una emisión radiofónica de Indalecio Prieto, el 8 de agosto de 1936. Declaró: 'Por muy fidedignas que sean las terribles y trágicas versiones de lo que ha ocurrido y está ocurriendo en tierras dominadas por nuestros enemigos, aunque día a día nos lleguen agrupados, en montón, los nombres de camaradas, de

amigos queridos, en quienes la adscripción a un ideal bastó como condena para sufrir una muerte alevosa, no imitéis esa conducta, os lo ruego, os los suplico. Ante la crueldad ajena, la piedad vuestra; ante la sevicia ajena, vuestra clemencia; ante los excesos del enemigo, vuestra benevolencia generosa... ¡No los imitéis!, ¡no los imitéis! Superadlos en vuestra conducta moral; superadlos en vuestra generosidad. Yo no os pido, conste, que perdáis vigor en la lucha, ardor en la pelea. Pido pechos duros para el combate, duros, de acero, como se denominan algunas de las Milicias valientes -pechos de acero- pero corazones sensibles, capaces de estremecerse ante el dolor humano y de ser albergue de la piedad, tierno sentimiento, sin el cual parece que se pierde lo más esencial de la grandeza humana'.

Los miembros del Gobierno de la República y sus altas autoridades desautorizaron toda matanza e intentaron restablecer el orden. El 23 de agosto de 1936 se establecieron en la zona republicana los Tribunales Populares, el día después del asalto a la cárcel Modelo de Madrid. Poco a poco, fueron controlando las 'sacas' y los 'paseos', los cuales para finales de año habrían virtualmente terminado. Cuando Manuel de Irujo, tomó posesión del Ministerio de Justicia, en mayo de 1937, declaró: 'Levanto mi voz para oponerme al sistema y afirmar que se han acabado los 'paseos'. Hubo días en que el Gobierno no fue dueño de los resortes del poder. Se encontraba impotente para oponerse a los desmanes sociales. Aquellos momentos han sido superados... es preciso que el ejemplo de la brutalidad monstruosa del enemigo no sea exhibido como el lenitivo a los crímenes repugnantes cometidos en casa'. El mismo Juan Negrín, como Presidente del Gobierno, ante las Cortes reunidas en el monasterio de San Cugat, en septiembre de 1938, declaró con el mismo espíritu: 'A mí me duele la vida de los españoles sacrificados estérilmente en el otro lado. A mí me interesa, para el gobierno futuro de España, conservarlos a ellos también, y que sirvan de contraste con nuestra opinión y posición política'.

En las zonas controladas por los militares rebeldes, que se hicieron llamar 'nacionales', había 'juicios' masivos que a menudo apenas duraban unos minutos, contra los que se asociaban con partidos de izquierdas y liberales. Además de las ejecuciones 'judiciales' que les seguían, también hubo un gran número de matanzas sin ninguna pretensión de legalidad. A las víctimas se les 'daba el paseo' y se dejaban los cadáveres en la cuneta o amontonados en los cementerios. Quizá el más célebre de estos asesinatos sea el del poeta andaluz Federico García Lorca el 19 de agosto 1936. En la Granada ultra-reaccionaria, su homosexualidad le había conferido un aire de singularidad y simpatía para quienes se situaban al margen de la sociedad respetable. Había declarado abiertamente su compromiso con la izquierda: 'En este mundo yo siempre soy y seré partidario de los pobres. Yo siempre seré partidario de los que no tienen nada y hasta la tranquilidad de la nada se les niega'. A menudo los asesinatos los llevaban a cabo falangistas y eran aprobados por las autoridades franquistas, que decían estar luchando en defensa de la civilización cristiana; y continuaron muchos años después de que hubiera terminado la Guerra Civil.

Saludo brazo en alto. Galicia, 1937.

Los niños aprenderían a utilizar la simbología desarrollada en ambos bandos en conflicto, incluyendo los saludos. En el bando nacionalista se impondría el saludo romano con el brazo en alto, utilizado por el fascismo italiano. En la foto es realizado por niños acogidos en un centro del Auxilio Social, la organización creada en la zona franquista para la realización de labores asistenciales con niños huérfanos.

Ha sido prácticamente imposible
precisar el número exacto de
muertos provocados por la Guerra
Civil, tanto en el frente como en
la retaguardia, que pueden estar
en torno a los 300.000. Durante
la guerra, muchos serían
recogidos y enterrados en ataúdes
improvisados, como muestra la
foto. Tras el fin de la guerra, los
cuerpos de los represaliados en la
zona republicana serían
recuperados, llevados a
cementerios, y sus nombres
puestos en muchos casos en las
paredes de las iglesias, mientras
que los represaliados republicanos
de las zonas ocupadas por las
tropas franquistas serían
sepultados en una ola de miedo y
silencio y, aún hoy, setenta años
después, siguen apareciendo fosas
comunes.

Con todo, la carnicería fue obra de una minoría significativa en ambos bandos, pero no dejó de ser de una minoría. Los excesos sanguinarios no fueron algo en lo que, a pesar de muchos mitos que han perdurado, estuvieran implicados todos los que participaron o se vieron afectados por la Guerra Civil española. En la zona republicana, se encontraban los que simplemente estaban luchando por la conservación de la democracia o por determinadas visiones anarquistas, comunistas o socialistas del porvenir. En la zona rebelde, los había que luchaban por restaurar la monarquía, por defender a la Iglesia Católica o por proteger la propiedad. Sin embargo, en ambas zonas muchos españoles veían la guerra con horror y se vieron envueltos en ella con temor y repugnancia. A los que les cogió en la zona 'equivocada' tuvieron que fingir lo que se ha llamado 'lealtad geográfica' para impedir que se les asesinara o ejecutara. Como consecuencia, las fuerzas armadas de ambos bandos se enfrentaban al problema de las deserciones cuando los hombres intentaban llegar a la zona que mejor representaba sus creencias.

## La Guerra Civil española en el contexto internacional entre la Primera y la Segunda Guerra Mundial

Los proyectos sociales de ambos bandos y la represión que se implementó para consolidarlos tuvieron un impacto sobre la opinión mundial y, de alguna forma, una influencia sobre las actitudes de los dirigentes de las grandes potencias. De hecho, el resultado final de la Guerra Civil española fue decidido por dos factores íntimamente enlazados: el contexto internacional y la cuestión de los armamentos. La Guerra Civil española fue el primer conflicto en que la aviación desempeñó un papel importante y a veces decisivo, siendo el escenario de una transición crucial entre los armamentos y las tácticas de la Primera y de la Segunda Guerra Mundial. En dicha transición, representan tres hitos fundamentales: el puente aéreo que llevaría el ejército de África a Sevilla a finales de julio y comienzos de agosto de 1936, lo cual estableció

una dimensión de movilidad de tropas hasta entonces desconocida; el uso de bombardeos terroríficos para desmoralizar a las poblaciones civiles, de los cuales el de Guernica sería el más famoso y eficaz, en abril de 1937; y la batalla de Brunete de julio de 1937, en la cual se enfrentarían los primeros cazas de la nueva generación que iban a luchar en los conflictos determinantes de la Segunda Guerra Mundial.

Aparecerían en la contienda española aparatos de 280 marcas distintas y, en total, casi 3.500 aviones participaron en la guerra, estando presentes muestras de toda la industria aeronáutica mundial, menos de la japonesa. En los primeros meses, a pesar de lo que decía la propaganda de los rebeldes, no más de una treintena de aviones franceses llegarían a la República, mayormente aparatos civiles que no sirvieron para el combate. Ninguno tenía armamento, ni armaduras para cañones ni para bombas. Los mecánicos republicanos tuvieron que mantenerlos a fuerza de improvisación, porque o no disponían de manuales de taller, o, a veces, sólo de algunos escritos en idiomas como el polaco o el lituano. En cambio, en el mismo periodo, los aviones recibidos por los nacionales de Alemania e Italia llegaron con armamento, con municiones y con tripulaciones, y mecánicos entrenados y plenamente familiarizados con sus equipos. Para hablar de las distintas maneras en que la lucha aérea se desarrolló en desigualdad de condiciones, hay que mencionar la cuestión del entrenamiento. Antes de la guerra, por falta de gasolina, había muy poco vuelo práctico en la aviación española. Los pilotos más acomodados, como por ejemplo Juan Antonio Ansaldo, Joaquín García Morato o Narciso Bermúdez de Castro, fueron socios de clubs aeronáuticos y acumularon horas de vuelo allí y en varios concursos y *rallies* internacionales. Uno menos rico, como Andrés García Lacalle, llegó a hacer ochenta horas de vuelo entre 1925 y el comienzo de la Guerra Civil. Para entender el significado de esto, basta recordar que un piloto cualquiera de las fuerzas aéreas de los Estados Unidos tenía que cumplir doscientas cincuenta horas de vuelo antes de recibir sus alas, y un mínimo de treinta horas al mes para cobrar el sueldo de piloto. Los pilotos republicanos, con aviones desconocidos, y muchas veces sin armamento, estaban en una desigualdad cruel frente a sus oponentes. En éste, como en otros aspectos, el bando llamado 'nacional' gozaba de una supremacía aérea decisiva, la cual se debió a la ayuda fascista y a la inhibición de las democracias.

Parte de dicha supremacía se debía al Junkers JU-52, un avión trimotor monoplano de transporte y bombardero que se hizo famoso tanto por su servicio durante la Guerra Civil española como durante la Segunda Guerra Mundial. Hitler exageraba algo cuando dijo: 'el general Franco debe de erigir un monumento a la gloria del Junkers 52; es a este avión al que la revolución española tiene que dar las gracias por su victoria'. Como veremos, el trimotor italiano Savoia-Marchetti S.81 Pipistrello también jugaría un papel en lo que iba a ser el primer puente aéreo militar en la historia. El Messerschmidt Bf 109, famosísimo por su papel en la batalla de Inglaterra, fue probado y perfeccionado en España, donde más de ciento treinta ejemplares jugaron un papel importante. Sin embar-

**Guardias de asalto disparando. Barcelona. (A. Centelles)**

La Guardia de Asalto era el cuerpo de orden público creado por el nuevo régimen republicano. Con su organización se buscaba formar una fuerza fiel al nuevo régimen republicano y separar al Ejército de las funciones de orden público. Utilizarían un uniforme azul tomado de los policías metropolitanos norteamericanos, pero su estructuración era, como la de la Guardia Civil, básicamente militar. Su responsable sería el entonces coronel Agustín Muñoz Grandes, que posteriormente apoyaría la sublevación del 18 de julio de 1936 y sería el primer jefe de la División Azul, que luchó con las tropas alemanas en el frente ruso durante la Segunda Guerra Mundial. Pero la mayoría de los guardias de asalto permanecerían fieles al gobierno republicano y colaborarían con los voluntarios civiles a hacer frente a la sublevación, como muestra esta foto de Barcelona.

Extremadura: lucha en las calles.
Subiendo al tejado.

La toma de Extremadura por las tropas marroquíes, en agosto de 1936, fue un avance imparable ante un grupo de jornaleros y trabajadores urbanos mal armados que utilizarían, como se ve en la foto, hasta escopetas de caza. La artillería franquista destrozó pueblos como Almendralejo, y en otros sitios, la columna Asensio/Castejón/Yagüe, denominada Columna Madrid, tuvo que recurrir a combates cuerpo a cuerpo y luchas casa por casa.

go, fue el Junkers JU-52 el que tuvo el papel clave en el paso del estrecho, y el que llevó el peso de la mayoría de los bombardeos nacionales, incluyendo el de Guernica, a lo largo de la campaña en el País Vasco de la primavera de 1937. Solamente hubo dos batallas de importancia a lo largo de la Guerra Civil española en las que las fuerzas de Franco no gozaron de superioridad aérea: la lucha por Madrid, en octubre y noviembre de 1936, y la batalla de Guadalajara en marzo de 1937 (dos de las escasas victorias de la República).

## El papel del Dragon Rapide británico en el camino hacia el poder

Si los aviones alemanes e italianos no ganaron la guerra por Franco, no cabe duda de que su papel fue importantísimo. Sin embargo, tres de los momentos más cruciales en la historia aérea de la Guerra Civil española fueron protagonizados, no por bombarderos o cazas italianos o alemanes, ni siquiera por los aviones franceses y soviéticos que les opusieron. Los principales protagonistas mecánicos en la historia de cómo Franco llegó a ser el jefe único del alzamiento militar y después dictador de España eran aviones británicos civiles. Uno de ellos, un pequeño avión biplano pasajero, de dos motores (el De Havilland D.H. 89 Dragon Rapide), transportaba a Franco desde las Islas Canarias a Marruecos para encargarse del golpe militar desde allí. En el segundo de ellos, una pequeña avioneta deportiva (el monoplano De Havilland D.H. 80A Puss Moth), el hombre originalmente elegido como jefe del golpe, el General José Sanjurjo, se mató el 20 de julio de 1936. En el tercero, un pequeño avión de pasajeros de dos motores (el monoplano Airspeed A.S.6 Envoy), murió el principal rival de Franco, el general Emilio Mola, el 3 de junio de 1937.

De más importancia que las muertes de Sanjurjo y Mola en el camino de Franco hacia el poder fue el papel del Dragon Rapide que le llevó de las Islas Canarias a Marruecos. A principios de julio de 1936, derechistas españoles en Londres fletaron el avión. Los gastos fueron sufragados por el empresario millonario Juan March. El 5 de julio, el marqués de Luca de Tena, dueño del diario ABC, llamó a Luís Bolín, su corresponsal en Londres, y le dio instrucciones para fletar un avión capaz de llegar a las Canarias. Como Bolín no sabía nada de aviones, llamó al célebre inventor murciano del autogiro (antecedente del helicóptero), Juan de la Cierva, que vivía en Londres. De la Cierva le recomendó que fuera a una compañía llamada Olley Air Services en Croydon para alquilar un Dragon Rapide. Pilotado por el capitán William Henry Bebb (ex-RAF), el Dragon Rapide G-ACYR salió de Croydon en la madrugada del 11 de julio. Después de breves escalas en Burdeos, Espinho en el norte de Portugal y Lisboa, llegaría a Casablanca al día siguiente. El Dragon Rapide, tras dejar a Bolín en Casablanca, llegó a las 14.40 del 14 julio al aeropuerto de Gando, cerca de Las Palmas de Gran Canaria. Con Franco a bordo, a las 14.05 del 18 de julio, despegó el avión rumbo a Tetuán. Después de hacer escalas en Agadir y Casablanca, llegó a Tetuán a las 6 de la mañana del día 19. Su llegada abrió el camino para el suministro de los aviones de combate alemanes e italianos que de varias maneras iban a dar a los

**Sierra de Guadarrama, 1936.**

El 18 de julio de 1936, todas las tropas de la submeseta norte se habían sublevado contra el gobierno republicano. Aunque tenían que hacer frente a otras operaciones, el general Mola recibía numerosos voluntarios carlistas y las guarniciones de Castilla la Vieja no tenían otro objetivo que Madrid, solo separada de las tropas sublevadas (Continúa en la página siguiente)

insurgentes superioridad aérea durante la mayor parte de la guerra y así garantizar a los golpistas la victoria.

## El papel del Ejército de África y el estrecho de Gibraltar

Cuando Franco llegó a Marruecos se encontró con una situación difícil. El golpe de estado había fracasado, las columnas enviadas por Mola hacia Madrid habían sido sorprendentemente detenidas en la sierra del norte por las inexpertas milicias obreras de la capital, y el ejército del norte también se vio frenado por la escasez de armas y municiones. La baza más fuerte de los rebeldes fue el llamado Ejército de África, compuesto por la brutal Legión Extranjera y los mercenarios marroquíes de los Regulares Indígenas, una fuerza curtida en batallas con una larga experiencia en aterrorizar a civiles durante las guerras coloniales españolas, se encontraba bloqueado en Marruecos por buques de guerra republicanos, cuyas tripulaciones se habían amotinado contra sus oficiales de derechas.

Las fuerzas africanas de Franco se encontraban paralizadas por el problema del transporte a través del estrecho de Gibraltar. El paso por mar de gran número de tropas era muy difícil, si no exactamente imposible, pues el estrecho estaba controlado por la escuadra republicana, cuyas tripulaciones se habían amotinado contra los oficiales rebeldes. Aun así, pasaban algunos faluchos pero el traspaso de unidades sustanciosas necesitaba otra táctica. Ante estas dificultades,

(Viene de la página anterior) por la sierra de Guadarrama. El mismo 18 de julio, grupos de milicianos partieron de Madrid hacia la sierra y el 20 se organizaron varias columnas, formadas por soldados, guardias y milicianos. En toda la zona se produjeron importantes combates y muchos hombres de ambos bandos fueron hechos prisioneros, como en este caso, que muestra milicianos apresados por tropas franquistas.

**Los aviones del Gobierno son revisados por mecánicos. Madrid.**

Tras el 18 de julio de 1936, la mayor parte de la aviación quedó en poder del ejército repúblicano. Pero la fuerza aérea española era escasa y antícuada. Los republicanos pudieron comprar en Francia, en los primeros momentos de la guerra, cazas y bombardeos, aunque éstos normalmente llegaron desarmados y hubo que prepararlos para el uso militar. El gobierno republicano recibiría posteriormente cazas rusos, aunque, dada la lejanía de la Unión Soviética, la obtención de repuestos sería difícil.

los sublevados decidieron pedir ayuda a sus correligionarios extranjeros para hacer un puente aéreo. Ya el 19 de julio, Franco había mandado a Luís Bolín a Roma para pedir a Mussolini aviones de transporte y comenzó la tarea de convencer al cónsul italiano en Tanger, Pier Filippo De Rossi del Lión Nero, y al agregado militar italiano, el comandante Giuseppe Luccardi, de que él iba a vencer en la guerra que comenzaba. A lo largo de la semana siguiente, estos dos funcionarios italianos enviaron a Roma una serie de telegramas que expresaban una hábil petición de Franco a Mussolini. El Duce tenía pocas ganas de meterse en lo que podía terminar siendo una guerra contra Francia. Cuando Bolín llegó a Roma con una carta de presentación del exiliado rey español Alfonso XIII, el 22 de julio, tuvo un encuentro con el recién nombrado ministro de Asuntos Exteriores, el yerno de Mussolini, el conde Galeazzo Ciano.

A pesar de las demostraciones de simpatía iniciales de Ciano, Bolín no recibió la ayuda solicitada. En ese momento a Mussolini le preocupaban los informes recibidos de que Francia estaba dispuesta a ayudar a su régimen hermano, el Frente Popular español. El principal objetivo de la política exterior del Duce era acabar con la hegemonía anglo-francesa en el Mediterráneo, pero era demasiado prudente como para arriesgarse a una guerra inmediata. No obstante, el interés de Mussolini por la situación española y el papel del general Franco se basaba en los telegramas que recibía de Tánger. Las astutas súplicas de Franco ofrecían un cierto éxito, una seductora promesa de emular en España el fascismo italiano, una futura subordinación, y todo por un módico precio. Declaró que conseguiría el éxito si se le concedía su limitada petición de ocho aviones de transporte italianos. Prometió que si Italia ayudaba a su causa, las 'futuras relaciones serían más que amistosas'; o sea, le ofrecía a Mussolini la tentadora perspectiva de un estado satélite que desequilibraría la balanza del poder en el Mediterráneo a su favor y en contra de Gran Bretaña y Francia. Pero el Duce aún dudaba, negando su ayuda a una prestigiosa delegación enviada por

el general Mola. Cuando finalmente Mussolini decidió ofrecer su apoyo a Franco el 27 de julio, fue el resultado de diversos factores: le impresionaron mucho unos informes secretos recibidos desde París mostrando que Francia no se disponía a ayudar a la República; también, el Duce había llegado a la conclusión de que el gobierno británico apoyaba tácitamente a los militares golpistas porque estaba convencido de que la ayuda portuguesa a los rebeldes no habría sido posible sin el permiso tácito de los británicos; y el factor decisivo fue la noticia (que llegó a Roma el 27 de julio) de que el Kremlin se encontraba en un serio aprieto con los acontecimientos en España y que no tenía ninguna intención de ayudar a la República.

## La ayuda italiana y alemana

Por consiguiente, a primeras horas de la mañana del 28 de julio, se acordó enviar ayuda a Franco. Una escuadrilla de doce bombarderos Savoia-Marchetti S.81 fue reunida en Cerdeña antes de volar hacía el Marruecos español al día siguiente. También fueron preparados dos barcos mercantes, uno con doce cazas Fiat C.R. 32 y los pilotos y mecánicos correspondientes, y otro con municiones y combustible para los aviones. En total llegarían a ser 373 los Fiat C.R. 32 que participaron a lo largo de la Guerra Civil española, y sería éste el aparato que iba a llevar el grueso de las operaciones de caza de la aviación de Franco. La escuadrilla de los bombarderos Savoia-Marchetti fue breve y simbólicamente escoltada por el general Guiseppe Valle, jefe del Estado Mayor de la Regia Aeronáutica y subsecretario del Ministerio de Aviación (lo que mostró la naturaleza oficial de la ayuda italiana). A causa de los fuertes vientos, se agotó el combustible y tres de los doce se estrellaron, uno en el mar y dos en el Marruecos francés (uno de ellos hizo un aterrizaje forzoso y el otro se estrelló). Aunque Ciano negó categóricamente cualquier implicación oficial italiana, estas colisiones alertaron al mundo entero de que Mussolini estaba ayudando a Franco.

Franco consiguió la ayuda italiana a base de la insistencia de sus esfuerzos personales para convencer a los funcionarios italianos en Tánger de sus posibilidades de éxito. Llevó a cabo un proceso paralelo con los representantes locales en Marruecos de la Nazi-Ausland Organisation, dos ejecutivos alemanes residentes en el Marruecos español, Adolf Langenheim y Johannes Bernhardt. Así pues, el 22 de julio, pudo enviar otra petición de ayuda a Hitler por medio de Bernhardt. Este evitó los canales oficiales, utilizando sus contactos dentro del Partido Nazi para llegar directamente a Hitler, que se encontraba en Villa Wahnfried, la residencia de Wagner, para asistir al festival anual de Bayreuth. El Führer recibió a los enviados de Franco al regreso de una representación de *Sigfrido,* dirigida por Wilhelm Fürtwängler. En una concisa carta, el general Franco le pedía fusiles, aviones de caza y de transporte y cañones antiaéreos. La reacción inicial de Hitler fue dudosa, pues señaló la falta de apoyo financiero de los insurgentes: 'Ésa no es forma de empezar una guerra'. Sin embargo, después de una interminable diatriba sobre la amenaza bolchevique decidió, en contra de la opinión de Goering, poner en marcha lo que llamó *Unternehmen Feuerzauber* (Operación Fuego Mágico), al parecer aún bajo el influjo de los majestuosos acordes de la ópera que acababa de escuchar, especialmente de la música del «fuego mágico» que acompaña a Sigfrido en el heroico pasaje a través de las llamas para liberar a Brünhilde. Después de expresar sus dudas sobre los riesgos que implicaba tal operación, Goering se entusiasmó con la idea. A pesar de los contactos previos de las organizaciones derechistas españolas con la Ausland-Organisation (Organización Exterior) nazi, la Operación Fuego Mágico fue el inicio real de la intervención alemana en el conflicto español.

De este modo, Hitler y Mussolini convirtieron un golpe de estado que iba por mal camino en una sangrienta y prolongada guerra civil. Y de hecho convirtieron lo que había comenzado como un conflicto español en parte de la guerra civil europea. Es interesante reflejar que poco después del estallido de la Segunda Guerra Mundial, en septiembre de 1939, el Capitán Basil Liddle-Hart, distinguidísimo teórico militar, dijo: 'La segunda gran guerra del siglo veinte comenzó en julio de 1936, tras el aliento y la experiencia obtenidos por Japón en Manchuria, y por Italia en Abisinia, al desafiar a la Sociedad de Naciones y desarrollar nuevas técnicas de guerra camuflada. La ayuda directa dada por Italia y Alemania con aviones y buques de guerra, sobre todo al transportar las tropas de Franco de África a España, eran las primeras operaciones de la guerra actual'.

Jugando a fusilar. (A. Centelles)

Los fusilamientos, tan comunes en ambos bandos, serían reproducidos por los niños en sus juegos, en los que algunos de los jugadores harían de enemigos y el resto del grupo, de piquete de ejecución. La Guerra Civil marcaría a toda una generación de niños: muchos de ellos morirían por bombardeos, enfermedades y hasta de hambre, otros quedarían huérfanos o marcharían, a veces sin la compañía de ningún familiar, al exilio; otros serían educados en el odio y la venganza.

## El primer puente aéreo militar de la historia

Veinte Junkers JU-52 de transporte se sumaron a los bombarderos italianos, lo que permitió que Franco llevara a cabo el primer puente aéreo militar en la historia. Una escuadrilla de diez Junkers JU-52, con el armamento de veinte, junto con seis cazas Heinkel He-51 como escoltas, fueron mandados por barco, junto con noventa y cinco técnicos y pilotos de la Luftwaffe. Otra escuadrilla de diez Junkers JU-52 voló al Marruecos español. A lo largo de la Guerra Civil española, llegarían unos sesenta Junkers 52 que, junto con otros cien Heinkel He-111, formarían la base de las acciones de bombardeo llevadas a cabo por las fuerzas aéreas de Franco. El 5 de agosto, Franco dio prueba otra vez de su férrea voluntad de ganar cuando, en contra de la opinión de sus colaboradores, decidió abrir una brecha en las defensas republicanas con un pequeño convoy de barcos de pesca que transportaba a las tropas. Contaba con que la inexperiencia de las dotaciones republicanas limitase su capacidad de maniobra. El paso del estrecho del llamado 'convoy de la victoria' fue escoltado por los Savoia Marchetti. Su éxito significó un importante golpe psicológico, ya que los rumores de que el feroz Ejército de África iba a aterrizar en la península propagaron el miedo en la zona republicana. Durante la primera semana de agosto, se inició un puente aéreo entre Marruecos y Sevilla, y en diez días se transportaron quince mil hombres. El 6 de agosto, nuevos buques de transporte cruzaron el estrecho con cobertura aérea italiana. Los alemanes también enviaron algunos cazas biplano Heinkel He-51 y pilotos voluntarios de la Luftwaffe. Al cabo de una semana los rebeldes recibían suministros regulares de munición y armamento, tanto de Hitler como de Mussolini.

## La política franco-británica de no-intervención beneficia a Franco

Las potencias democráticas, por el contrario, abandonaron a la República. Cohibido por divisiones políticas internas y por el temor británico de provocar una guerra generalizada, el Primer Ministro francés, Léon Blum, en seguida se retractó de sus iniciales promesas de ayudar a la República, que se vio forzada a recurrir a la Unión Soviética. Al montar la farsa de la no-intervención, que privó a la República de sus derechos internacionales de compra de armamentos, la política anglo-francesa favoreció al bando insurgente, dando libre paso a la ayuda italo-alemana. Poco después de su llegada a Londres, a comienzos de septiembre de 1936, un aristócrata inglés presentó al nuevo embajador de la República, Pablo de Azcárate, a Winston Churchill. A pesar de que Azcárate había sido un muy respetado alto funcionario de la Sociedad de Naciones, Churchill rechazó bruscamente su mano con las palabras 'sangre, sangre...' Un momento clave en la campaña de Neville Chamberlain para apaciguar a Hitler fue en 1938 cuando, al aceptar la desmembración de Checoslovaquia, declaró que era 'un país lejano del que no sabemos nada'. En 1936, casi virtualmente la misma actitud había teñido la opinión inglesa y norteamericana con respecto a España. En el mundo anglosajón, España era percibida como un país atrasado desde siglos atrás, muy por detrás de la Europa 'civilizada', un lugar donde las pasiones violentas y las atrocidades eran el pan nuestro de cada día. En

Niña refugiada. (R. Capa)

Los niños fueron los que sufrieron las consecuencias más terribles de la Guerra Civil: separados de sus padres –algunos desde el mismo comienzo de la guerra, por hallarse en ese momento en colonias de vacaciones–, trasladados sólos desde la zona controlada por el gobierno republicano a otras regiones, e incluso a otros países, ante el avance de las tropas franquistas, muchos no volverían a ver España ni a sus familiares. Otros, como en el caso de muchos niños refugiados en Francia, serían reclamados, y hasta secuestrados, por las autoridades franquistas durante la Segunda Guerra Mundial, y volverían a España a orfanatos estatales donde se buscaría "reeducarles" por ser "hijos de rojos".

periódicos, libros y películas se reflejaba una visión de España, de su historia y de su pueblo, como la personificación misma del fanatismo, la crueldad y la emoción descontrolada. Esta imagen tenía su origen en la Reforma, cuando una serie de panfletos de inspiración religiosa denunciaron las actividades de la Inquisición española y los terrores de los autos de fe. Las guerras civiles, o las guerras de independencia nacional, y las subsecuentes series de guerras civiles del siglo XIX ayudaron a que estos estereotipos siguieran gozando de buena salud ya bien entrado el siglo XX.

No era entonces sorprendente que los dirigentes británicos permitieran que sus prejuicios de clase cegaran sus intereses estratégicos. A lo largo de la guerra, esto fue percibido por Churchill. Después de la firma del Primer Ministro británico, Neville Chamberlain, del pacto anglo-italiano el 16 de abril de 1938, Churchill le escribió al Ministro de Asuntos Exteriores, Anthony Eden: 'Un triunfo completo para Mussolini, quien así gana nuestra cordial aceptación de su fortificación del Mediterráneo en contra nuestra, por su conquista de Abisinia, y su violencia en España'.

A pesar de la política franco-británica de no-intervención, Franco constantemente condenaba a 'la pérfida Albión' pero de hecho tenía que estar muy agradecido a los dirigentes británicos. Y en un informe sobre la situación internacional en torno a España, fechado en Burgos el 10 de agosto de 1936, del Ministerio de Estado, el Gabinete Diplomático comentó a la Junta de Defensa Nacional: 'Que, en conjunto, la actuación inglesa nos es favorable puede apreciarse en la franca, abierta y admirable ayuda que nos está prestando Portugal, ligado a los intereses británicos de tal manera que es preciso admitir que Oliveira Salazar cuenta en absoluto con el beneplácito del Gobierno inglés para ayudarnos en la medida que lo hace'.

Lo que significó la no-intervención lo vio con su habitual clarividencia Manuel Azaña cuando dijo el 31 de mayo de 1937: 'Para hacerse oír, y ser atendidos en la Sociedad de Ginebra, arca de la paz, definidora y guardadora del derecho, hay que ser poderoso, hay que estar preparado para la guerra, dispuesto a definirse a sí mismo el derecho, resuelto a imponerlo cuando sea desconocido. Nosotros somos débiles. No desconozco cuanto hemos hecho los españoles para, dentro de nuestra debilidad, amenguar nuestra respetabilidad. No me refiero sola y principalmente a los hechos acaecidos en el territorio republicano, muchas veces desatinados, inútiles, perjudiciales. Sin llegar a eso, el hecho mismo de la rebelión, aunque no hubiese sido reconocida ni apoyada por nadie, basta para hacer zozobrar el prestigio de un país. Mas la Sociedad de Naciones no puede abrir la boca sino para invocar el derecho, razón de su existencia. Como el derecho está enteramente de nuestro lado, la Sociedad se hace la sorda y enmudece. Nuestro mayor enemigo hasta ahora ha sido el Gobierno británico. Todos los artilugios inventados para la no-intervención y sus incidentes, han dañado al Gobierno de la República y favorecido a los rebeldes. La hipocresía ha llegado a ser tan transparente que parecía cinismo infantil. Gran cosa es decir que se trabaja por conservar la paz europea. Pero creer que Alemania o Italia iban a decla-

rar la guerra a Inglaterra y a Francia, si el Gobierno español compraba material en estos dos países, es una estupidez. No lo harían, ni aun ahora, después de haber conseguido tantas ventajas en la Península'.

## El Ejército de África puede cruzar el estrecho

Uno de los periodistas británicos más sagaces que presenciaron la Guerra Civil, Henry Buckley, recordaba que los muchos diplomáticos ingleses con los que hablaba estaban totalmente a favor de los facciosos: 'Los veían como una garantía contra el bolchevismo'. El periodista norteamericano, Jay Allen, presenció el paso por Gibraltar de muchos pilotos italianos donde se les dio todas las cortesías y facilidades imaginables. Con el cruce del estrecho por el Ejército de África así facilitado, los rebeldes 'nacionales' emprendieron dos campañas que mejoraron drásticamente su situación. Mola atacó la provincia vasca de Guipúzcoa aislándola de Francia. Entretanto, el ejército africano de Franco avanzó rápidamente por el norte hacia Madrid dejando un terrorífico reguero de sangre a su paso. La actitud de los 'nacionales' hacia la izquierda y hacia la clase obrera rural e indus-

trial solamente tenía sentido en términos de mentalidad poscolonial. Los africanistas y los terratenientes veían a los campesinos sin tierra y al proletariado industrial como miembros de una raza inferior, una raza colonial sometida. Cuando hablaban de la izquierda lo hacían desde una perspectiva patológica. Durante la marcha de las tropas de Franco hacia Madrid, el corresponsal jefe de la United Press en Europa, Webb Miller, se quedó profundamente conmocionado ante las atrocidades de las que fue testigo en Santa Olalla, entre Talavera y Toledo. En Toledo, tras la liberación del Alcázar, quedaban charcos de sangre en las calles, y las huellas de quienes los habían cruzado evidenciaban el gran número de ejecuciones sumarias. Un oficial franquista le explicó sus principios: 'estamos combatiendo una idea. La idea está en el cerebro, y para matarla a ella tenemos que matar al hombre. Debemos matar a todos los que tienen esa idea roja'.

La brutalidad con la que fueron azotadas las ciudades conquistadas por las fuerzas colonialistas españolas no era sino una repetición de lo que éstas hacían cuando atacaban un pueblo marroquí. En una comunicación radiofónica típica realizada el 24 de julio, Queipo de Llano comentó: 'Al Arahal fue enviada una columna formada por elementos del Tercio y Regulares, que han hecho allí una *razzia* espantosa, sancionando con castigos ejemplares los excesos salvajes, inconcebibles, que se han cometido en aquel pueblo'. Y amenazó con llevar a cabo *razzias* similares en las ciudades circundantes. El 10 de agosto ya habían unido las dos mitades de la España 'nacional' y, cuatro días después, tomaron Badajoz e hicieron una masacre en la cual fueron fusilados dos mil prisioneros. Los rebeldes consolidaron significativamente su situación a lo largo de agosto y septiembre. El general José Enrique Varela conectó Sevilla, Córdoba, Granada y Cádiz. Entre los republicanos no se dieron tales avances espectaculares. La guarnición rebelde de Toledo seguía asediada en la fortaleza del Alcázar y las milicias anarquistas de Barcelona se verían envueltas durante

Refugiados españoles se lavan en el campo de Argelés, Francia, 12 de febrero de 1939.

No se puede decir que la llegada de una ingente cantidad de refugiados tras la caída de Barcelona pillara desprevenidas a las autoridades francesas, a las que sus representantes en España ya les habían planteado esta posibilidad en febrero de 1937 y, nuevamente, a fines de marzo de 1939 ante el avance franquista en Aragón. Pero, a pesar de las sugerencias de sus diplomáticos, no se tomaron medidas. Al decidir mantener a los refugiados en el departamento fronterizo de los Pirineos orientales y ante la falta de instalaciones, la única forma de acogerlos fue agruparlos en parcelas de terreno rodeadas por alambre, en playas o campos, sin ningún tipo de refugio para cubrirse de las inclemencias climáticas ni de instalaciones higiénicas. En el que muestra la foto, en Argelés sur Mer, llegó a haber 100.000 refugiados a mediados de febrero de 1939.

[55]

dieciocho meses en un intento fútil por reconquistar Zaragoza, que había caído rápidamente en manos de los rebeldes.

El 21 de septiembre, en un aeródromo cerca de Salamanca, los militares rebeldes más destacados se reunieron para elegir al comandante en jefe, tanto por razones militares obvias como para facilitar las relaciones con Hitler y Mussolini. Franco fue elegido mando único. El mismo día, decidió desviar sus columnas (entonces en Maqueda, casi a las puertas de Madrid) al sureste, para acabar con el asedio del Alcázar de Toledo. Perdió, por lo tanto, una ocasión única de avanzar rápidamente hasta la capital antes de que se hubiera preparado la defensa. Sin embargo, el romper el asedio del Alcázar de Toledo significó afianzar su propio poder con una victoria emocional y un gran golpe periodístico. También le interesaba ralentizar el ritmo de la guerra para poder llevar a cabo una profunda purga política en el territorio conquistado. El 28 de septiembre, Franco fue ratificado como Jefe del Estado 'nacional'. A partir de entonces, gobernó una zona fuertemente centralizada. Por el contrario, la República se vio gravemente limitada a causa de las profundas divisiones entre los comunistas y socialistas moderados, que querían dar prioridad al esfuerzo bélico; y los anarquistas, trotskistas y socialistas de izquierdas, que querían poner más énfasis en la revolución social.

## *Madrid resiste: llegan las Brigadas Internacionales*

El 7 de octubre, el ejército africano reanudó la marcha hacia un Madrid atestado de refugiados y acosado por graves problemas de suministros. El retraso de Franco permitió el reforzamiento de la moral de los defensores gracias a la llegada de armas de la Unión Soviética y de las columnas de voluntarios de las Brigadas Internacionales. Voluntarios de países de todo el mundo emprendieron el peligroso viaje a España creyendo que la victoria de la República sería la única forma de detener el fascismo y evitar una futura guerra mundial. Se encontraron con enormes dificultades: la distancia, el acoso oficial y los sacrificios personales en la lucha por la República. Todos habían venido dispuestos a morir en la lucha contra el fascismo. Llegaron a España en octubre y recibieron instrucción en Albacete. Organizadas bajo los auspicios del Comintern a finales de verano y principios de otoño de 1936, las Brigadas Internacionales también contaban con voluntarios que no eran comunistas. Su llegada hizo que las cosas cambiaran, pero la defensa de Madrid supuso un esfuerzo heroico de toda la población. Sin embargo, el 6 de noviembre el Gobierno huyó a Valencia, dejando la capital en manos del general José Miaja. Respaldado por una Junta de Defensa dominada por los comunistas, Miaja infundió ánimo a la población, mientras su brillante Jefe del Estado Mayor, el coronel Vicente Rojo, organizaba las fuerzas de la ciudad. A pesar de contar con la ayuda de las unidades alemanas de élite conocidas como la Legión Cóndor, a finales de noviembre Franco reconoció el fracaso de su asalto. La capital asediada aguantaría dos años y medio más.

La respuesta inmediata de Franco fue una serie de intentos de rodear la ciudad. En las batallas de Boadilla (diciembre de 1936), Jarama (febrero de

1937) y Guadalajara (marzo de 1937), sus fuerzas fueron vencidas con un enorme coste para la República. Incluso después de la derrota de Guadalajara, en la que participó un gran contingente de tropas italianas, los 'nacionales' llevaron la iniciativa, como se demostró por la facilidad con la que conquistaron el norte de España en la primavera y verano de 1937. En marzo, Mola condujo 40.000 soldados a un asalto en el País Vasco apoyado por los terroríficos bombardeos de la Legión Cóndor. El ejemplo más extremo fue la aniquilación de Guernica, el 26 de abril de 1937, para hacer añicos la moral vasca y minar la defensa de la capital, Bilbao, que cayó el 29 de junio.

Para muchos, la Guerra Civil española está representada por el bombardeo de Guernica, que ha suscitado polémicas tan exaltadas como los principales episodios de la Segunda Guerra Mundial. Esto no se debe tanto a la fuerza del cuadro de Picasso como a que Guernica supuso la primera destrucción masiva de un objetivo civil indefenso ante el bombardeo aéreo. Guernica formó parte de un experimento para poner a prueba las técnicas de coordinación tierra-aire que fueron el antecedente del posterior *Blitzkrieg* en Polonia y Francia. Las imágenes del daño que inflingieron los bombardeos alemanes e italianos en Madrid y Barcelona, y de los civiles refugiándose en las estaciones de metro también ayudaron a grabar la Guerra Civil española en la conciencia europea. Estas imágenes anticipaban la nueva y horripilante estrategia bélica moderna que estaba por venir. El hecho de que la mayor parte de los bombardeos fueran llevados a cabo por las aviaciones alemana e italiana en nombre de Franco era un reflejo de la diferencia de recursos en ambos bandos. La República tenía muy pocos bombarderos y, por lo tanto, sólo llevó a cabo bombardeos nocturnos esporádicos e ineficaces en ciudades de la zona 'nacional'.

Después de la toma del País Vasco, el ejército de Franco, abastecido con abundancia de tropas y material italianos, conquistó Santander el 26 de agosto. Asturias fue barrida con rapidez durante septiembre y octubre. La industria del norte ya estaba al servicio de los rebeldes. Esto les proporcionó una ventaja decisiva que se añadía a su superioridad numérica en términos de hombres, tanques y aviones. Vicente Rojo intentó detener el avance inexorable de los nacionales con una serie de ofensivas. En Brunete, al oeste de Madrid, 50.000 soldados atravesaron las líneas enemigas el 6 de julio, pero Franco tenía los refuerzos suficientes como para rellenar el hueco. Durante diez días, en uno de los enfrentamientos más sangrientos de la guerra, los republicanos fueron bombardeados con ataques aéreos y de artillería. Con un coste enorme, la República retrasó ligeramente el futuro desplome del norte. Entonces, en agosto de 1937, Rojo emprendió un atrevido movimiento de pinza contra Zaragoza. En el pueblo de Belchite, la ofensiva se detuvo bruscamente a mediados de septiembre. Belchite quedó reducido a escombros y, después de 1939, sus ruinas desoladas han quedado como un monumento de guerra. Al igual que en Brunete, los republicanos obtuvieron una ventaja inicial pero carecían de la fuerza suficiente para el golpe mortal. En diciembre de 1937, Rojo lanzó otro ataque preventivo sobre Teruel con la esperanza de desviar el último ataque de Franco sobre Madrid. El plan funcionó. En medio de un frío atroz, los republicanos conquistaron Teruel el 8 de enero, pero fueron expulsados después de seis semanas de intensos bombardeos de artillería y de aviación. Después de la costosa defensa de otro pequeño avance, los republicanos tuvieron que retirarse el 21 de febrero de 1938, cuando Teruel estaba a punto de ser cercada. Las bajas en ambos bandos habían sido numerosísimas.

## *El avance inexorable de las tropas franquistas y la derrota republicana*

En ese momento, Franco consolidó su victoria con una enorme ofensiva a través de Aragón y Castellón hacia el mar. Cien mil soldados, doscientos tanques y cerca de mil aviones alemanes e italianos emprendieron un avance el 7 de marzo de 1938. Los republicanos estaban agotados y desmoralizados después de la derrota de Teruel, apenas tenían fusiles y munición. A principios de abril, los rebeldes habían llegado a Lérida. Después bajaron por el valle del Ebro aislando a Cataluña del resto de la República. Los republicanos se retiraron con dificultades hacia la costa atravesando la abrupta y árida Sierra del Maestrazgo entre Aragón y Castellón. El 15 de abril, los 'nacionales' habían llegado al pueblo pesquero de Vinaroz, en el Mediterráneo. En julio, Franco lanzó un fuerte ataque sobre Valencia. Los generales José Varela, Antonio Aranda y Rafael García Valiño encontraron difícil el avance hacia el sur al atravesar el terreno rocoso del

Campo de concentración de Le Perthus, cerca de la frontera entre Francia y España, 1939.

El tratamiento que dieron las autoridades francesas a los miles de refugiados españoles que llegaron al país vecino tras la caída de Cataluña –hacinados en playas y campos, sin comida ni servicios higiénicos o médicos y hasta vigilados por guardias senegaleses- haría que Manuel Azaña, último presidente de la República en España, escribiera, en junio de 1939, a Ángel Ossorio y Gallardo, destacado político republicano y católico: "¡Cómo los han tratado y los tratan! Peor que a bestias".

Maestrazgo hacia la costa. Los republicanos, brillantemente organizados por el general Leopoldo Menéndez López y el teniente coronel Gustavo Durán, se defendieron con tenaz determinación asegurándose de que el progreso de los franquistas fuera lento y agotador, pero el avance fue inexorable. El 23 de julio de 1938, Valencia estaba directamente amenazada, con los 'nacionales' a menos de cuarenta kilómetros. Como respuesta, Rojo lanzó una maniobra espectacular de diversión emprendiendo un gran ataque a través del río Ebro a fin de restablecer el contacto con Cataluña. Cruzando el río en la noche del 24 al 25 de julio, los republicanos llegaron a Gandesa, aproximadamente a unos cuarenta o cincuenta kilómetros del punto de partida, pero se fueron quedando atascados allí a medida que Franco enviaba refuerzos a toda prisa. Una batalla desesperada por el territorio conquistado se prolongó durante más de tres meses. A pesar de que carecía de importancia estratégica, Franco estaba decidido a aplastar al ejército republicano. A mediados de noviembre, con un terrible coste en bajas, los republicanos fueron expulsados del territorio que habían conquistado en julio. Habían dejado a sus espaldas muchos muertos y gran cantidad de material valioso.

En efecto, la República había sido derrotada. Barcelona cayó el 26 de enero de 1939. Cientos de miles de mujeres, niños y ancianos aterrorizados, y soldados derrotados, empezaron a emigrar hacia Francia. Bajo el frío gélido de la nieve y el aguanieve, por carreteras bombardeadas y ametralladas por la aviación de Franco, muchos caminaban arropados con mantas y unas pocas posesiones a cuestas. Algunos llevaban niños. Los que podían se apretujaban en el interior de cualquier tipo de transporte imaginable. A partir del 28 de enero, un reticente Gobierno francés permitió a los refugiados cruzar la frontera. Las mujeres, los niños y los ancianos fueron internados en improvisados campamentos de tránsito. Los soldados republicanos, considerados como salvajes y asesinos, fueron desarmados y escoltados hasta insalubres campos en la costa, rápidamente improvisados cercando secciones de la playa con alambre de espino. Los mayores y más célebres se encontraban en las playas del sur de Francia, en Saint Cyprien, en Argelès-sur-Mer y en Barcarès. Carecían de las instalaciones mínimas necesarias para ofrecer refugio, para la higiene o para cocinar, y las condiciones de vida eran aterradoras. En los primeros seis meses, después del final de la guerra, 14.672 españoles murieron de desnutrición, disentería y enfermedades bronquiales. La retirada de la desgraciada masa humana que se dirigía lentamente al norte fue cubierta por el heroísmo desesperado de los combatientes que quedaban del ejército republicano.

En Madrid, el 4 de marzo, el jefe del Ejército del Centro, el coronel Segismundo Casado, se rebeló contra el gobierno republicano con la esperanza de detener una masacre cada vez más absurda. Su esperanza de una paz negociada fue rechazada por Franco y, tras una pequeña guerra civil dentro de la Guerra Civil, las tropas empezaron a rendirse una tras otra. Los franquistas entraron en un Madrid escalofriantemente silencioso el 27 de marzo. Casado huyó a Valencia, donde se congregaron miles de republicanos con la esperanza vana de escapar por mar. La quinta columna empezó a tomar posesión de la ciudad el

Niños vascos refugiados en un campo en Inglaterra reciben sus clases.

En 1937, ante el incremento de los bombardeos franquistas sobre la zona republicana y los problemas de aprovisionamiento de alimentos que ponía a los niños en grave peligro de desnutrición, se planteó el hecho dramático del envío de niños al extranjero. Muchos fueron entonces trasladados a Francia, el Reino Unido, Bélgica, Holanda y hasta a México y la Unión Soviética, donde distintas entidades benéficas se hicieron cargo de ellos e intentaron que desarrollaran una vida lo más normal posible. Fue uno de los hechos más tristes de la guerra porque muchos niños quedarían separados de sus padres y hermanos para siempre.

Un soldado iza la bandera roja y amarilla sobre el puente internacional Francia-España.

Aunque los sublevados no se definirían como monárquicos -y en los primeros días se oirían hasta Vivas a la República-, pronto adoptarían la bandera tradicional de la Monarquía. El 5 de septiembre de 1936, los soldados de Mola tomaron Irún, y controlaron así el estratégico puente que une España con Francia (Hendaya). La zona cantábrica de la República (Vizcaya, Santander y Asturias) perdería su única vía segura de comunicación con el exterior -aislada del resto de la zona republicana y bloqueada su salida al mar por la flota franquista-, sus habitantes pasarían muchas privaciones y su caída acabaría siendo relativamente rápida.

29 de marzo y, al día siguiente, el general Aranda llegó con las fuerzas de ocupación. En Valencia, Alicante, Gandía, y en otros puertos de la costa levantina, los que no escaparon o se suicidaron fueron conducidos en manada a campos de concentración.

## Institucionalización de la victoria franquista: la dictadura

El 31 de marzo de 1939, toda España estaba en manos de Franco. Alrededor de 350.000 personas murieron en el transcurso de la guerra. Deliberadamente, había librado una lenta guerra de desgaste, con purgas terribles en cada parte del territorio conquistado. Se trataba de una inversión en terror para sostener su futuro régimen. Al menos 50.000 personas fueron fusiladas por los franquistas entre 1939 y 1943. La dictadura de Franco supondría la institucionalización de su victoria. El número de prisioneros se acercaba al millón. Algunos fueron obligados a incorporarse a batallones de trabajos forzados y utilizados como mano de obra barata en la construcción de presas, puentes y obras de canalización. El fruto más infame de su trabajo fue el gran mausoleo de Franco para sí mismo y para los 'nacionales' muertos en la guerra, el Valle de los Caídos, cerca de El Escorial.

Unos 400.000 republicanos se exiliaron; muchos de los cuales nunca regresaron. El coste emocional del exilio para todos ellos fue incalculable. La mayoría también sufrió privaciones materiales. Sólo una pequeña minoría con dinero o formación pudo llevar una vida digna, la mayoría en América Latina. Otros, más cerca de España, a menudo se vieron forzados a ingresar en la Legión Extranjera francesa, en las brigadas de trabajo alemanas o en campos de concentración. La necesidad de aprender otras lenguas y encontrar trabajo en un entorno hostil hizo que la mayoría de los exiliados tuviera poco tiempo que dedicarle a España. Para los que se quedaron, el miedo se convirtió en la nota dominante de sus vidas. La población estaba desmoralizada. En la ciudad y en el campo, abundaban los delatores. Imperaban los toques de queda y un sistema de salvoconductos. Entre 1939 y 1944, el llamado Ministerio de Justicia admitió una cifra de más de 190.000 ejecutados o muertos en prisión. Muchos de los que salían de la cárcel estaban gravemente enfermos o desmoralizados por el temor de ser arrestados de nuevo. El hambre y la práctica imposibilidad de encontrar trabajo disminuyó la capacidad combativa de los republicanos. Las condiciones en los barrios obreros eran horrorosas: gente harapienta buscaba sobras, muchos vivían en cuevas, no había servicios médicos.

En 1964, el general Franco y sus seguidores disfrutaron de una ruidosa celebración, que duró un año, de los 'Veinticinco Años de Paz' desde el final de la Guerra Civil. Empezó con un solemne *Te Deum* en la basílica del Valle de los Caídos. La misa no celebraba la paz sino la victoria. Todas las ciudades y pueblos españoles se engalanaron con carteles que declaraban que el esfuerzo bélico de Franco había sido una cruzada religiosa para purgar a España de las hordas ateas de la izquierda. Para el Caudillo, los vencidos eran 'la canalla de la conspiración judeo-masónico-comunista'; y la Guerra Civil, 'la lucha de la Patria contra la anti-Patria, de la unidad nacional contra el separatismo, de la moralidad contra la iniquidad, del espíritu contra el materialismo'. Uno de los objetivos centrales de la posguerra había sido el de mantener enconadamente la división de España entre los vencedores y los vencidos, la privilegiada 'España auténtica' y la castigada 'anti-España'. Para los derrotados, la paz de Franco significó el silencio de los cementerios. De hecho, la guerra no había terminado.

PAUL PRESTON
*London School of Economics*

## 01

# Dos Españas

La Guerra Civil española permanece en la memoria de muchas personas como un conflicto entre extremos bajo la nota dominante de la crueldad y el fanatismo apasionado. El concepto de dos Españas siempre dispuestas a enfrentarse tiene una larga historia, y nunca ha sido expresado con más precisión y tristeza que en las conocidas líneas de Antonio Machado: 'Españolito que vienes/ al mundo, te guarde Dios./Una de las dos Españas/ ha de helarte el corazón'.

Durante la misma guerra, y hasta muchas décadas después, el conflicto fue descrito por periodistas y políticos de otros países en términos simplistas: comunismo contra fascismo, la civilización cristiana contra las hordas bárbaras de Moscú, el bien contra el mal. De hecho, lejos de ser un conflicto entre dos bloques monolíticos, la Guerra Civil española no era una sola guerra sino muchas guerras. Era la guerra de campesinos sin tierra contra propietarios acomodados, la guerra de doctrinarios anticlericales contra la Iglesia Católica, la guerra de nacionalistas vascos y catalanes contra centralistas militares, de obreros industriales contra los dueños de las fábricas; y muchas guerras de diferencia de ideas, de integristas reaccionarios contra masones progresistas, y -cómo no- de comunistas, socialistas y anarquistas contra fascistas.

No es difícil encontrar en los años anteriores a 1936 los conflictos enconados que parecían hacer inevitable una guerra. A mediados de julio de 1936, esos muchos conflictos previos quedaron subsumidos, en cuestión de días, en una guerra a muerte entre las dos Españas. Los extremismos y odios antecedentes entraron solapadamente en interacción y se intensificaron. Las hostilidades latentes se agigantaron conforme avanzaba el conflicto. Como en cualquier guerra, esa sed de sangre habitualmente reprimida, tanto por los valores morales como por el sistema de orden público, se había desencadenado. En España, el golpe militar provocó el colapso del aparato del Estado. Las anteriores estructuras del orden se vieron sustituidas en la zona llamada 'nacional' por el Ejército, la Iglesia y la Falange; y en la zona republicana, por las milicias de los partidos y los sindicatos, y por los comités populares. En ambas zonas, los antiguos resentimientos encontraron oportunidad de tomar represalias. Las consiguientes atrocidades, junto con los muertos en el campo de batalla, provocaron el deseo de venganza entre los familiares y camaradas de las víctimas.

Proclamación de la República en Cataluña: camiones en las calles de Barcelona con banderas catalanas y republicanas.

La proclamación de la Segunda República española, el 14 de abril de 1931, fue consecuencia del resultado de unas elecciones municipales que se convirtieron en un plebiscito sobre el tipo de régimen político, ante una monarquía desacreditada por su connivencia con la dictadura del general Miguel Primo de Rivera. La política centralista de ésta había extendido los sentimientos regionalistas desarrollados desde finales del siglo XIX. Así, al conocerse el resultado de las elecciones municipales, favorables a las candidaturas republicanas en las principales capitales de provincia, Francesc Macià proclamó en Barcelona la República Catalana, llamando al resto de los pueblos de España a sumarse a una República Ibérica. La negociación con los republicanos del resto de España llevaría a los catalanes a renunciar a esta "república catalana", a favor de un estatuto de autonomía que se aprobaría en 1932.

Proclamación de la Segunda República. Puerta del Sol, Madrid. (Página anterior)

El 14 de abril de 1931, Alfonso XIII, convencido por miembros del Gobierno y del Ejército de que sólo con una Guerra Civil podría mantenerse en el poder, saldría de Madrid con destino a Cartagena, y de allí al exilio, primero en Francia y después en Italia. Mientras tanto, en Madrid, se proclamaría la Segunda República, y miles de personas llenarían la Puerta del Sol, símbolo de la capital de España, con banderas y canciones republicanas, como la Marsellesa, o el Himno de Riego, en una "fiesta popular" animada por las expectativas de modernización socioeconómica y democratización política que simbolizaba la idea de república. Este sentimiento festivo iría desapareciendo ante la oposición a las reformas elaboradas desde el Gobierno, la desagregación del bando republicano, y lo que algunos autores han llamado la "desaparición del pueblo frente a la clase".

**Cacheos en Madrid, 10 de octubre de 1934.**

Al formarse, el 4 de octubre de 1934, un nuevo gobierno en que había tres miembros de la CEDA (Confederación Española de Derechas Autónomas), los socialistas iniciaron la "revolución" que habían anunciado durante meses que harían si se llegaba a esta situación. Aunque en Madrid las acciones insurreccionales no pusieron en peligro el control del Estado sobre las instituciones de gobierno, los enfrentamientos y tiroteos se extendieron durante varios días, mientras la huelga general paralizaba casi por completo la capital de la República, que periodistas extranjeros testigos de los acontecimientos describirían en esos días como una ciudad muerta. Sólo se formaban largas colas para obtener alimentos, mientras los guardias de asalto cacheaban a los transeúntes, como muestra la foto, obligaban a disolverse a los grupos que se formaban en las calles y, en muchos casos, hacían a los peatones ir con los brazos levantados.

Elecciones generales de 1936. Propaganda electoral.
Puerta del Sol, Madrid.

La Segunda República vio el desarrollo de la política de
masas y con ésta un desarrollo de la propaganda
política. Así, las tres elecciones generales celebradas
durante la República y, especialmente, las de febrero de
1936 –que dieron el triunfo al Frente Popular–
mostraron la importancia de la propaganda electoral,
tanto impresa como radiada. En este caso, vemos un
gran cartel de José María Gil Robles, el máximo
responsable de la Confederación Española de Derechas
Autónomas (CEDA), la gran organización de masas de la
derecha durante los años 30, en un edificio
emblemático de la Puerta del Sol madrileña, cartel que
fue destacado en los periódicos de la época y también
por el embajador británico en Madrid en sus informes al
Ministerio de Asuntos Exteriores de su país.

Marzo de 1936, regreso de Companys. (A. Centelles)

Lluís Companys, líder de Esquerra Republicana de Cataluña y presidente de la Generalitat de Cataluña desde la muerte de Francesc Macià en la Navidad de 1933, sería detenido y procesado por rebelión por los sucesos de octubre de 1934 en Barcelona. Saldría de la cárcel en aplicación del decreto de amnistía a los encausados y condenados por delitos políticos y sociales aprobado por la Diputación Permanente de las Cortes el 21 de febrero de 1936, en aplicación del programa del Frente Popular. Recibiría un multitudinario recibimiento a su llegada a Barcelona, cuando ya se habían restablecido las instituciones catalanas suspendidas como consecuencia de la insurrección de octubre de 1934.

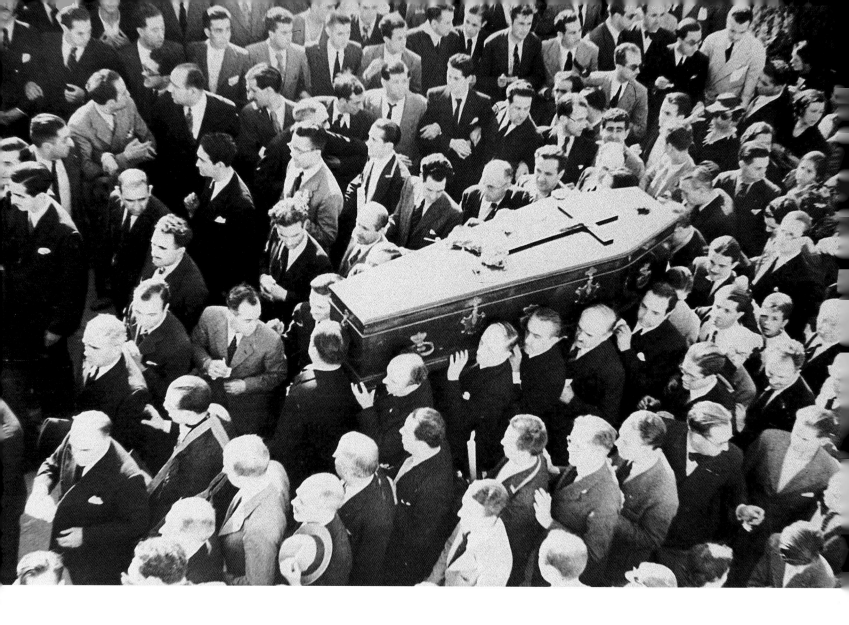

**Entierro de Calvo Sotelo, 1936. (S. Yubero)**

El entierro de José Calvo Sotelo movilizó a las personas de derechas y católicos en general, y se convirtió en un acto multitudinario presidido por Antonio Goicoechea, presidente de Renovación Española, que prometió "salvar a España". Aunque su asesinato sería utilizado posteriormente como justificación del golpe militar del 18 de julio de 1936, los preparativos de éste se habían iniciado prácticamente nada más conocerse el resultado de las elecciones de febrero de 1936. Pero probablemente sí que influyó en el apoyo, tácito o explícito, que muchas personas católicas dieron a la sublevación militar.

**Cadáver de Calvo Sotelo, 1936. (S. Yubero) (Página anterior)**

La primavera de 1936 vivió un incremento de la violencia política con atentados indiscriminados realizados contra representantes de distintas tendencias políticas. El 13 de junio de 1936 fue asesinado José Calvo Sotelo, diputado a Cortes por el partido monárquico Renovación Española. Tras un duro enfrentamiento en las Cortes con el nuevo Presidente de Gobierno, Santiago Cásares Quiroga, sobre el orden público, fue secuestrado en su casa por guardias de asalto -miembros del nuevo cuerpo de Orden Público creado durante la República- como venganza por el asesinato el día anterior del teniente José del Castillo, simpatizante de la izquierda. Calvo Sotelo aparecería muerto a las puertas del cementerio de la Almudena.

Barcelona, 19 de julio de 1936. Muertos en la Plaza de Cataluña. (A. Centelles)

Los sublevados fracasarían en la ocupación de las dos principales ciudades de España: Madrid y Barcelona. En esta última, se sublevó una parte importante de la guarnición pero no los guardias de asalto ni la Guardia Civil, que apoyaron al gobierno de la Generalitat, asistidos por paisanos organizados por los líderes principales del anarquismo barcelonés, como Juan García Oliver o Durruti, que se movilizarían por toda la ciudad. A primera hora de la tarde del mismo 19 de julio, la rebelión estaría prácticamente sofocada, quedando sólo tres focos que resistieron hasta mediodia del día siguiente, y Barcelona quedaría prácticamente bajo el control de los anarquistas.

17 de julio de 1936. Un tribunal popular en Barcelona juzga a un acusado de atentar contra la República. (D. Seymour)

El desmembramiento del Estado republicano a consecuencia de la sublevación supuso también la práctica desaparición del sistema de justicia, lo que dio lugar a la aparición de tribunales improvisados formados por miembros de las distintas organizaciones que apoyaban a la República y que juzgaban a los detenidos por la rebelión, cuando no se producían fusilamientos sin juicio. Pero con la paulatina -aunque nunca total- reconstrucción del Estado, se implicó a todas las organizaciones en el mantenimiento del orden y sería un anarquista, Juan García Oliver, quien como Ministro de Justicia reconstruiría el sistema judicial consolidando los tribunales populares, aunque este nombre no se institucionalizó en la legislación republicana hasta un decreto del 7 de mayo de 1937.

Esperando el ataque al cuartel de la Montaña. 20 de julio.

En el clima de confusión reinante en Madrid al inicio de la sublevación, el general Joaquín Fanjul -que debía ocupar la ciudad según los planes realizados por los sublevados- se encerró el 19 de julio en el cuartel de la Montaña, situado muy cerca de la plaza de España y donde se acuartelaban un regimiento de infantería, otro de zapadores y el Grupo de Alumbrado. Esperaba que le llegaran refuerzos de los cuarteles de Carabanchel, Getafe o Cuatro Vientos, pero en todos estos sitios la sublevación había sido sofocada. Mientras tanto, numerosos grupos de guardias, obreros y milicias, movilizados por las distintas organizaciones que apoyaban al gobierno republicano, rodearon el edificio.

Muertos en el asalto al Cuartel de la Montaña, Madrid. (Alfonso S.)

En la noche del 19 al 20 de julio, guardias de asalto, civiles y soldados rodearon el cuartel de la Montaña. En la mañana del día 20, el edificio fue cañoneado y la multitud asaltó el cuartel. La resistencia duró unas horas y durante ésta se produjo una confusa lucha cuerpo a cuerpo entre quienes estaban en el cuartel (en donde también había personas contrarias a la sublevación) y quienes querían ocuparlo. Docenas de oficiales fueron muertos en el acto, aunque el general Fanjul sería detenido por los guardias de asalto, juzgado y condenado por rebelión militar.

**Armas requisadas a los rebeldes del Cuartel de la Montaña se reparten entre los milicianos.**

El control del Cuartel de la Montaña permitió no sólo acabar con la sublevación en Madrid capital sino también mandar columnas a Alcalá de Henares, donde tenía su sede el Regimiento de Caballería número tres, tradicionalmente muy conservador, y sofocar la rebelión allí, asegurando el mantenimiento de la capital en manos del Gobierno republicano. También permitió recuperar en buenas condiciones gran parte del cuantioso armamento que se guardaba en el cuartel, y que serviría para armar a las milicias que pronto saldrían de Madrid para hacer frente a los sublevados en otras zonas.

Voluntarios dejan Madrid. 29 de julio de 1936.

La desintegración del Estado y del ejército republicano, como consecuencia de la sublevación, haría que el Gobierno entregara armas a los obreros y basara la resistencia en las milicias que fueron creando más o menos improvisadamente distintos partidos y sindicatos. Esto haría que durante los primeros días de la guerra grupos de voluntarios, normalmente descoordinados, salieran en improvisados transportes desde la capital hacia diferentes lugares, como la sierra norte de Madrid o Toledo, a hacer frente a los rebeldes.

Ceremonia de investidura de Franco como Jefe de Gobierno. Burgos, 1936.

Los sublevados organizaron pronto la estructuración del nuevo Estado sobre bases militares. Aunque en un primer momento se creó una Junta Militar, presidida por el general Miguel Cabanellas, el 1 de octubre de 1936 Franco fue nombrado "Jefe del Gobierno del Estado", aunque en la práctica asumiría las funciones de Jefe del Estado. A pesar de haber sido uno de los últimos generales en sumarse a la sublevación, su ascenso fue facilitado, entre otros factores, por haber sido el que más éxitos había logrado en los inicios de la guerra, al ser el responsable de las tropas más preparadas que había en el Ejército español, las destacadas en el norte de África, y por la muerte, en accidente de aviación, el 20 de julio de 1936, del general José Sanjurjo -que ya se había sublevado contra la República en agosto de 1932-, cuando se dirigía desde Portugal a España a hacerse cargo del mando.

**Nacionalista detenido por los republicanos.**

Tras el 18 de julio de 1936, se inició, tanto en el territorio en poder de los militares sublevados como en el controlado por el gobierno republicano, la detención de toda persona relacionada de una u otra forma con el bando contrario. Mientras que, en el bando sublevado, de estas detenciones se encargarían los militares o los falangistas, en el republicano, con la total desaparición de las estructuras de poder estatales como consecuencia de la sublevación, sería obra de cientos de comités formados por distintas organizaciones políticas y sindicales. En ambos bandos, muchos de estos detenidos serían fusilados o asesinados sin ningún tipo de juicio, especialmente durante los primeros meses de guerra.

**Abanderado. 6 de octubre de 1936. (J. Guzmán)**

La foto muestra la conmemoración en Barcelona de los sucesos del 6 de octubre de 1934, cuando Companys, en el marco de la huelga general y la insurrección obrera, proclamó "l'Estat català de la República Federal Espanyola" e invitó a que se estableciera en Cataluña un gobierno provisional de la República, aunque, prácticamente a las diez horas, el Gobierno catalán se rindió al general Batet, jefe de la división orgánica. Durante la Guerra Civil se acentuaría la valoración de la insurrección de octubre como primera lucha antifascista, y en el caso catalán, de defensa de su identidad nacional, como indica la presencia de la senyera. La foto también muestra la creciente importancia de la participación de los jóvenes en la movilización política que, en consonancia con lo que estaba ocurriendo en el resto de Europa, cobró un gran impulso en España en todo el espectro político-ideológico durante la Segunda República.

Salamanca, 12 de octubre de 1936.
Miguel de Unamuno. A su lado, el obispo
Enrique Pla y Deniel. Universidad de
Salamanca.

La Guerra Civil española dividiría a los
intelectuales, y aunque habría una clara
preponderancia de éstos en el bando
republicano, otros apoyarían al bando
franquista, y habría casos de familias
intelectuales divididas por la guerra (por
ejemplo, los hermanos Antonio y Manuel
Machado). Muchos otros pasarían de un
apoyo inicial a los franquistas a un claro,
aunque a veces silencioso, desencanto con
su actuación. El enfrentamiento de Miguel
de Unamuno, catedrático y rector de la
Universidad de Salamanca con el General
Millán Astray, fundador y responsable de la
Legión, durante la celebración del día de la
Hispanidad en el paraninfo de la
Universidad salmantina, es un ejemplo
paradigmático de esta situación: ante el
grito de "Muera la inteligencia" del general,
el ya viejo intelectual le contestó: "Venceréis
pero no convenceréis". El incidente
caracterizaría el régimen de Franco ante la
opinión pública internacional durante
mucho tiempo, mientras que Unamuno
moriría poco después.

# Camino
## hacia el frente

Después de haber derrotado a los oficiales golpistas liderados por el general Joaquín Fanjul en el cuartel de la Montaña, los partidos y sindicatos de izquierdas de la capital formaron milicias. Unas columnas salieron hacia el norte para repeler a las tropas del general Mola en el puerto de Somosierra, donde, sin entrenamiento y mal armados, detuvieron las fuerzas de Mola. Otros milicianos fueron hacia Toledo con la idea de sofocar la rebelión que había tenido éxito allí. Junto con tropas republicanas, pudieron capturar la ciudad pero los golpistas, bajo el mando del coronel José Moscardó se refugiaron dentro del Alcázar, la fortaleza inexpugnable que domina tanto la ciudad como el río Tajo que la rodea. Allí quedaron estancados los milicianos hasta la llegada de las tropas africanas de Franco en la última semana de septiembre.

El 23 de julio, unas columnas de milicianos de la CNT y del Partido Obrero de Unificación Marxista habían salido de Barcelona hacia el oeste en dirección a Aragón. Su objetivo inmediato era un asalto contra Zaragoza que había caído en poder de los golpistas al mando del general Miguel Cabanellas. La capital aragonesa era un feudo anarquista y para la CNT era una cuestión de honor retomarla. A pesar de su entusiasmo y optimismo, las columnas anarquistas llegaron cerca pero fueron paradas. Empezó un largo, costoso y vano asedio que agotó energías que podrían haber sido mejor empleadas en otros frentes de la guerra. La principal consecuencia del paso de las columnas por Aragón fue la colectivización de la tierra en muchos pueblos.

Dentro de la zona que había caído en manos de los rebeldes, también se formaron columnas de entusiastas y exaltados. En Valladolid, el fundador de las Juntas de Ofensiva Nacional Sindicalistas, Onésimo Redondo, organizó unidades de falangistas a las que acompañó hacia Madrid, encontrando la muerte en el pueblo de Labajos en Segovia. Otros de sus seguidores fueron a Salamanca, y también a Badajoz, donde participaron en la represión. En Pamplona, muchos carlistas locales, incluyendo bastantes sacerdotes, fueron enseguida a unirse a las columnas del general Mola. En el sur, en Jerez, Cádiz, Sevilla y Córdoba, se organizaron columnas montadas de derechistas, compuestas de jóvenes terratenientes y sus empleados más fieles, como las organizadas en Sevilla por el comandante jubilado Luís Redondo García y Ramón de Carranza, el nuevo Alcalde de Sevilla.

02

**Lluvia torrencial que no evita cumplir la misión con los medios a su alcance. Guadalajara. (Página anterior)**

Tras el fracaso del asalto a Madrid, las tropas franquistas buscaron completar el cerco de la capital, cortando la carretera Madrid-Guadalajara-Zaragoza, en la provincia de Guadalajara. La operación buscaba utilizar la velocidad de las unidades motorizadas y cercar a los republicanos entre el Jarama y Alcalá de Henares, táctica de "guerra relámpago" que desarrollaría el ejército alemán durante la Segunda Guerra Mundial. Pero el ataque, iniciado el 8 de marzo de 1937, se produjo en unas condiciones climatológicas adversas: llovía intensamente, y el terreno se convirtió en un barrizal: los aviones no pudieron salir y la artillería perdió sus objetivos por falta de visibilidad. Las carreteras se convirtieron en un atasco de vehículos que se estorbaban, teniendo que utilizarse caballos y bicicletas para mantener las comunicaciones. Guadalajara se convirtió en la primera victoria en campo abierto de los republicanos y estabilizó el frente de Madrid.

**Soldados camino del frente. (L. Deschamps)**

Las marchas al frente eran un espectáculo variado que iban de la huida de casa del menor idealista, a la desorganizada salida de milicianos, pasando por el sobrio embarque de soldados llamados a filas o la marcha militar de un Regimiento de Caballería, como el de la foto. Ambos ejércitos recurrieron al llamamiento a filas de los hombres en edad de combatir y de las quintas que en una situación de paz se hubieran incorporado al servicio militar. Desde el inicio del conflicto hubo desertores en ambos bandos, aunque se hicieron más frecuentes a partir de 1938 en el ejército republicano cuando, con la convicción de que la guerra estaba perdida, muchos jóvenes intentaron huir hacia Francia.

**Voluntarios al frente. Julio de 1936. (A. Centelles)**

El triunfo republicano en Barcelona hizo que pronto salieran milicias de voluntarios desde esta ciudad a hacer frente a los rebeldes en otros puntos. Marcharían en un ambiente de triunfo y optimismo y cubiertos de banderas, aunque a veces prácticamente sin armas. Estaban formadas principalmente por miembros de la anarcosindicalista Confederación Nacional del Trabajo (CNT) y en ellas habría una proporción mayor de mujeres que en otras zonas de España. Particular importancia tuvieron las columnas enviadas por la CNT a Zaragoza, que a pesar de ser un bastión del sindicato anarcosindicalista había quedado rápidamente en poder de los sublevados.

**Refrescándose.**

La vida en el frente fue muy dura en ambos bandos en conflicto. Aunque la situación era peor en la zona republicana por los graves problemas de abastecimiento sufridos por la República, en general, los soldados en el frente pasarían del frío al calor extremo, vivirían entre el hambre, la miseria y la suciedad, y dormirían al raso o en inhóspitos caserones. Aunque se sobreviviera, la vida en el frente marcaría a toda una generación de españoles.

**Soldados del Ejército Nacional descansando cerca de Burgos.**

En 1938 el "Ejército Nacional" estaba constituído por más de un millón de hombres, en su mayoría entre 18 y 31 años, muchos de ellos soldados de remplazo llamados a filas. Los momentos de descanso y de ocio, o los permisos, serían utilizados por los soldados para leer, pasear y, también, para otras actividades más inconfesables y que darían lugar a campañas moralizantes en ambos bandos en conflicto. Como en toda coyuntura bélica, además, la incomprensión entre combatientes y no combatientes fue un hecho real, especialmente en la zona franquista, cuando al volver del frente el soldado se encontraba en Burgos o en Salamanca con el belicismo del café y del casino, mantenido desde una confortable seguridad.

**Un descanso en el camino. Enero de 1939.**

Un batallón de infantería del cuerpo de Urgel franquista, mejor armado pero también mejor preparado para las condiciones climatológicas adversas que el ejército republicano, descansa en Vilanova de Meyá, Lérida, el 1 de enero de 1939. Después atacaría, apoyado por el cuerpo del Maestrazgo, al XI Cuerpo Republicano en Tremp, en el imparable avance de las tropas franquistas por Cataluña tras la batalla del Ebro. El Grupo de Ejércitos de Cataluña republicano resistió como pudo durante algunos días entre Tremp y Artesa de Segre, hasta que el 4 de enero el Cuerpo del Ejército de Aragón, junto al de Urgel y el del Maestrazgo, consiguieron entrar en esta última población.

[90]

# 03

# No pasarán

A mediados de octubre se oía el fuego de artillería de las tropas franquistas y el 1 de noviembre ya habían llegado al sur y el este de la ciudad. Cinco días después el Gobierno partió hacia Valencia dejando la protección de la ciudad en manos de una Junta de Defensa presidida por el general José Miaja, un militar con reputación de mediocre. La salida del Gobierno dejó muy mala impresión dentro de la población, aumentando el ambiente de pánico y desorden. En una situación de confusión y desorganización militar, el Partido Comunista asumió la tarea de levantar la moral de la población y de enfocar la defensa de la ciudad. Convirtieron al gordo, bajo y desaliñado Miaja en un héroe, mientras la dirección real de la defensa estuvo al cuidado de su Jefe de Estado Mayor, el teniente coronel Vicente Rojo.

A pesar del pesimismo creciente que cundía, la llegada el 8 de noviembre de las primeras unidades de las Brigadas Internacionales y la entrega de tanques y aviones soviéticos cambió radicalmente la situación. Supuso una inyección de moral para el pueblo de Madrid saber que no estaba solo. Junto con el Quinto Regimiento comunista, la undécima Brigada Internacional permitió a Miaja dirigir a todo el pueblo madrileño en una defensa desesperada. Pero no se debe exagerar el papel de las Brigadas Internacionales; fueron un elemento más en un esfuerzo heroico colectivo.

Incluso las mujeres y los niños desempeñaron un papel importante, llevando alimentos y medicamentos al frente y ocupándose de las comunicaciones. El espíritu de los defensores fue resumido en enormes pancartas que rezaban 'No pasarán' y 'Madrid será la tumba del fascismo'. El coraje de los madrileños fue estimulado por la oratoria de Dolores Ibárruri: 'más vale morir de pie que vivir de rodillas'. Los bombardeos de artillería y aviación castigaron más a las zonas obreras que al elegante barrio de Salamanca. Los milicianos y las tropas africanos luchaban mano a mano en la Ciudad Universitaria. Los regulares y legionarios de Franco llegaron casi al centro de la ciudad pero al final fueron rechazados y, el 23 de noviembre, Franco tuvo que reconocer que el ataque había fracasado. Aun así, el asedio se prolongaría durante tres años más hasta que a finales de marzo de 1939 las fuerzas franquistas pudieron entrar en una ciudad totalmente famélica.

Un joven voluntario aprende a manejar el fusil.

Ambos ejércitos en conflicto se nutrieron de militantes de partidos políticos como carlistas y falangistas en el bando franquista. Pero fue principalmente el ejército republicano el que se nutrió de un gran número de voluntarios, jóvenes en su mayoría, no encuadrados políticamente con anterioridad, con escasa -por no decir nula- preparación militar, y a los que se formaba improvisadamente, especialmente durante los primeros meses de la guerra. En esta movilización de la juventud jugaría un papel importante la Juventud Socialista Unificada, que diría en 1937 que, de sus 300.000 afiliados, 150.000 eran miembros del Ejército Popular de la República.

Madrid, 5 de octubre de 1936. Cartel con el lema "No pasarán". Calle Toledo. (Página anterior)

Madrid, como capital de la República y símbolo del Estado era un objetivo de máximo interés para ambos bandos en conflicto. Sitiada por las tropas franquistas durante prácticamente toda la guerra, y teniendo como única vía de comunicaciones y abastecimiento la salida hacia Valencia, su resistencia, bajo el lema que se haría mítico de "No pasarán" -grito de guerra del general francés Petain, en 1917, durante la Primera Guerra Mundial *(Ils ne passeront pas)*- se convertiría en un símbolo de la República, tanto dentro del territorio nacional como en el extranjero. El "no pasarán", pronunciado nada más iniciarse la Guerra Civil (el 19 de julio de 1936) en un discurso realizado desde el Ministerio de Gobernación por la dirigente comunista Dolores Ibárruri llenaría las calles de la capital, aunque ya había sido utilizado por el Partido Comunista de España durante los sucesos de octubre de 1934 y también por José Antonio Primo de Rivera en un artículo publicado en julio de ese mismo año.

Castilblanco de los Arroyos, Sevilla. 18 de septiembre de 1936.

El avance del Ejército de África por Andalucía occidental fue prácticamente imparable desde su llegada. Los camiones que transportaban a las tropas marroquíes solían detenerse un poco antes de llegar a cada pueblo y, desde allí, avanzaban a pie y si veían resistencia utilizaban la artillería ligera. Por medio de altavoces se ordenaba que se abrieran todas las puertas y se desplegaran banderas blancas. Todo aquel que no cumpliera estas órdenes o fuera sorprendido con armas en la mano, o tuviera marcas en el hombro de haber disparado un fusil, era ejecutado sin juicio. Un pelotón se quedaba atrás para asegurar el pueblo mientras las columnas proseguían su camino hacia el norte.

**Tapiado de La Cibeles en Madrid.**

Ante los bombardeos indiscriminados realizados por la aviación franquista sobre el Madrid sitiado, las autoridades republicanas organizaron la protección de los símbolos emblemáticos y del patrimonio cultural de la ciudad, como la famosa fuente de la diosa Cibeles del Paseo del Prado, que fue protegida durante toda la guerra por un muro de ladrillo y sacos de tierra -como muestra la foto- y llamada popularmente por los madrileños "La Linda Tapada". Otro ejemplo serían los cuadros del Museo del Prado que fueron evacuados a Ginebra bajo la tutela de la Sociedad de Naciones –el antecedente de la actual ONU- y que no volverían a España hasta después de terminado el conflicto.

**Republicanos sobre los restos de un puente de Guadarrama, 1936.**

Los combatientes republicanos que hicieron frente en la sierra a las tropas enviadas por el general Mola hacia Madrid fueron un conglomerado de milicianos, guardias y soldados, dirigidos por unos pocos militares profesionales, de segura adscripción republicana. Dada esta composición, cada pequeño triunfo era celebrado con entusiasmo y, a pesar de ello, su campaña contendría durante las primeras semanas a las fuerzas de Mola, favorecidos por la inicial superioridad aérea republicana.

La caída de San Sebastián. Los milicianos esperan la rendición de los rebeldes del cuartel de Loyola, 1936.

En San Sebastián, la indecisión de su comandante militar al ver la reacción popular contra la sublevación y la lealtad a la República del responsable de la Guardia Civil de la provincia, hizo que éste fuera detenido y que los militares partidarios de la sublevación no actuasen hasta el 21. Aunque se ocuparon diversos edificios importantes de la ciudad, la actuación de milicias populares –formadas principalmente por trabajadores–, forzó a los soldados a replegarse a los cuarteles de Loyola, que fueron sitiados. Los resistentes se rendirían el 28 de julio, al no llegar los refuerzos que esperaban que el general Emilio Mola mandara desde Navarra. Pero, aislado del resto de la zona republicana, el norte no resistiría durante demasiado tiempo: San Sebastián caería en manos de los soldados de Mola en septiembre de 1936.

## 04

# El Alcázar resiste

Después de aplastar el golpe militar en Madrid, los partidos y sindicatos de izquierda formaron milicias y columnas de voluntarios. Algunos de ellos partieron hacia el sur para recuperar el control de Toledo, donde había triunfado la sublevación. Con la participación de tropas republicanas leales reconquistaron la ciudad. Sin embargo, los rebeldes, dirigidos por el comandante militar de la plaza, el director de la Escuela Central de Gimnasia, el coronel José Moscardó, se encerraron en el Alcázar, la inexpugnable fortaleza que domina Toledo y el río Tajo que la rodea. Durante más de dos meses, los milicianos asediaron la guarnición rebelde. Los mil guardias civiles y falangistas encerrados en el Alcázar habían llevado con ellos como rehenes a numerosas mujeres y niños, familiares de izquierdistas conocidos. Los milicianos malgastaron enormes cantidades de energía y munición en el intento de capturar una fortaleza de escasa importancia estratégica. Así, la resistencia de Moscardó y sus hombres se convirtió en el gran símbolo del heroísmo de los militares rebeldes.

Cuando las tropas de Franco llegaron a Maqueda al sur-oeste de Toledo, había que tomar la decisión de avanzar directamente hacia Madrid o desviarse para liberar el Alcázar. Por razones relacionadas con la lucha por el poder dentro del bando insurgente, Franco decidió inclinar la balanza del poder en su favor mediante una victoria emocional y un gran golpe propagandístico. Desde el punto de vista militar, fue un gesto innecesario, ya que un avance hacia la capital habría sido suficiente para el abandono del sitio del Alcázar. El 26 de septiembre, las tropas del general Varela entraron en Toledo y liberaron a sus camaradas sitiados a fuerza de una tremenda sangría.

Fuera cual fuese la eficacia estratégica de la operación, Franco sacó enorme beneficio político, consolidando su posición como jefe único. Al día siguiente, volvió a escenificar el momento de la liberación para que el público de los cines de todo el mundo pudiera ver a Franco inspeccionado las ruinas. Después de terminar la guerra, Franco declaró a Manuel Aznar cronista oficial de sus triunfos militares: 'Al entrar en el Alcázar tuve la convicción de que había ganado la guerra. A partir de aquel momento era sólo cuestión de tiempo. No me interesaba ya una victoria fulminante, sino que la victoria total en todos los terrenos viniese por la consunción del enemigo'. Después de la liberación del Alcázar, el ritmo y estilo de la dirección estratégica de Franco sufrió un cambio perceptible. La guerra rápida practicada por las columnas dio paso a un esfuerzo bélico más moroso, en el que la destrucción gradual del enemigo predominó sobre los grandes objetivos estratégicos.

**Barricada frente al Alcázar.**

El asedio al Alcázar por parte de los republicanos duró más de dos meses, favorecido por el estímulo que suponía para los resistentes el conocer que las tropas franquistas avanzaban rápidamente por Andalucía. Pero durante los meses de julio y agosto consistió simplemente en tiroteos y bombardeos aéreos y artilleros de escasa intensidad, lo que permitió estampas como éstas con hombres sonriendo o fumando tranquilamente.

**Los soldados republicanos atacan en las calles de Toledo. (Página anterior)**

Toledo no tenía más guarnición que la establecida en su Alcázar, sede tradicional de la Academia de Infantería, y donde Manuel Azaña, durante su gestión al frente del Ministerio de la Guerra, había concentrado las de Caballería y las Intendencias. El coronel José Moscardó, comprometido con el alzamiento, se negó a enviar a Madrid las municiones depositadas en la fábrica de armas. Pero no declaró el estado de guerra hasta el 21 de julio, cuando ya habían llegado grupos armados desde Madrid y se acercaba a la ciudad una columna al mando del general Riquelme. En la noche del 22 de julio, todos los edificios de Toledo, menos el Alcázar, estaban en poder de los republicanos.

Milicianos durante el asedio al Alcázar.

A la columna del general Riquelme se habían unido distintos grupos de milicias madrileñas y también algunas locales que habían empezado ya antes a hostigar a los resistentes. Estas milicias organizarían barricadas con los más variados elementos y pasarían del entusiasmo inicial por la rápida conquista de la ciudad a la desmoralización por la duración del asedio, aunque sus condiciones de vida pudieran ser mejor que las de los sitiados.

Soldados tras una barricada improvisada en el ataque al Alcázar.

En el Alcázar de Toledo, una antigua fortaleza de origen medieval levantada sobre una colina que domina el Tajo, el coronel Moscardó estableció su cuartel general el 21 de julio. Ante el control de Toledo por parte de los republicanos, se encerró y se hizo fuerte allí con los 150 soldados de la ciudad, los guardias civiles de la provincia que se habían concentrado allí, civiles voluntarios y algunos rehenes. El número de cadetes era muy pequeño, dado que la mayoría se hallaba de vacaciones. Pronto los republicanos levantarían improvisadas barricadas.

Una mujer superviviente en las ruinas del Alcázar.

En el Alcázar había también mujeres y niños, en muchos casos familiares de los guardias civiles pero también parientes de militantes de izquierda tomados como rehenes. El Alcázar pudo resistir gracias al gran número de municiones que había allí almacenadas, pero las condiciones de vida y de alimentación fueron muy duras, y en el momento de ser liberados estarían prácticamente famélicos.

**Fachada del Alcázar en ruinas.**

El Alcázar quedó reducido a escombros. Reconstruido tras la Guerra Civil y convertido en un museo sobre los acontecimientos ocurridos en 1936, es, desde hace pocos años, sede de la biblioteca más importante de la Comunidad de Castilla-La Mancha.

**Los liberados del Alcázar de Toledo junto a Franco, Moscardó y Varela.**

Fue el mismo general Franco el que ordenó, en plena marcha hacia Madrid, que las tropas de África se desviaran hacia Toledo: la resistencia del Alcázar se había convertido en un ejemplo para el bando sublevado y liberarlo tenía un valor simbólico, y era también un triunfo personal frente al general Mola, cuyas tropas no habían podido tomar Madrid, en pleno debate sobre la jefatura de la guerra. El 28 de septiembre el general Varela entró en el Alcázar. El 29 llegaría Franco. Dos días después, fue proclamado Generalísimo, aunque perdería la posibilidad de una ocupación rápida de la capital de la República.

# En las trincheras

## 05

Cuando el comunista Antonio Mije le dijo a Francisco Largo Caballero que para parar el avance de las columnas africanas había de cavar trincheras, el primer ministro le dijo: 'El español es demasiado orgulloso para que acepte esconderse en la tierra.' Sin embargo, una vez que el ejército de África llegó a Madrid, la guerra se estabilizó. La guerra de columnas dio lugar a una guerra de maniobras más lentas y, como consecuencia, en muchos frentes, había una larga y aburrida vida de trincheras.

En frentes muy estabilizadas como Aragón, incluso llegó a haber relaciones de comercio entre ambos bandos, con intercambio de tabaco por papel de liar, de comida, o incluso de correo. Las tropas recibieron frecuentes charlas de los comisarios políticos para levantar la moral y explicar las finalidades del esfuerzo bélico. También hubo por parte de la República un gran esfuerzo educativo, y no exclusivamente político. Muchos reclutas jóvenes aprendieron a leer y escribir y también podían disfrutar de obras culturales, conciertos y teatros ambulantes. Las llamadas 'Milicias de la Cultura' organizaban cursos de literatura, de matemáticas y otras muchas disciplinas. Hubo una red de bibliotecas y cines móviles y, dada la proliferación de ideologías dentro del bando republicano, había toda suerte de periódicos y hojas que daban pie a un constante debate político.

En la zona franquista, donde todas las unidades fueron bien provistas de capellanes, se mantenía la vida religiosa en las trincheras. Los soldados podían confesarse y se celebraban misas diarias para la tropa. Al contrario de la zona republicana, donde escaseaban los víveres, en términos alimenticios, se vivía bastante mejor en las trincheras nacionales. Los soldados recibían cartas, comida y jerseis de las 'madrinas de guerra', mujeres mayormente de la Sección Femenina de la Falange.

En todas las guerras, las condiciones de las trincheras son contrarias a la higiene. Como mínimo, había dificultades para bañarse y lavar la ropa. En consecuencia, proliferaban la sarna, los piojos y otras enfermedades. En ambos bandos, la asistencia médica fue siempre problemática aunque se podría decir que era uno de los pocos aspectos en los que la República llevaba la ventaja por el elevado número de médicos y enfermeras voluntarios de otros países. Se llegó a decir que se recibía mejor tratamiento en los improvisados hospitales republicanos en el frente que en las mejores clínicas de Londres.

Misa en el frente, antes del combate los soldados republicanos vascos asisten al oficio. (D. Seymour)

Aunque la Iglesia fue perseguida en prácticamente toda la zona republicana, esto no sucedió en el País Vasco, controlado por el Partido Nacionalista Vasco, que se había caracterizado tradicionalmente por su religiosidad. Además, la mayoría de los sacerdotes vascos apoyarían a la República, lo que les enfrentaría al resto de la jerarquía católica española y algunos serían posteriormente fusilados por las tropas franquistas. Así, los gudaris vascos, las milicias nacionalistas, mantendrían con normalidad sus costumbres católicas.

Los milicianos defienden sus posiciones en San Marcial, cerca de la frontera francesa, 1936.

La particular orografía del País Vasco dificultaría el avance de las tropas del general Mola, pero la defensa de las posiciones republicanas en Guipúzcoa sería muy difícil, al estar rodeada por Álava y Navarra, donde la sublevación había triunfado, y sufriendo bombardeos realizados por la marina franquista situada en el Cantábrico. Los intentos de mantener la crucial vía de comunicación con el exterior que representaba la frontera con Francia, muy cerca de la cual tuvieron lugar importantes combates, fracasaron: el 2 de septiembre, las tropas navarras del general Mola tomarían el convento de San Marcial, en la colina que dominaba Irún.

Haciendo guardia. (Página anterior)

El mantenimiento de las líneas fue durante mucho tiempo la actividad principal de los soldados en diversos frentes que quedaron estabilizados, como, por ejemplo, el de Madrid. Así, las guardias se acabaron convirtiendo en una actividad cotidiana. En el bando republicano, el particular origen de su ejército, a través de la organización de milicias descoordinadas y formadas por hombres con escasa tradición militar y del acatamiento de órdenes, dio lugar a un largo proceso, a la vez político y propagandístico, para lograr la unificación de los mandos y la disciplina. Este proceso se combinó con una importante campaña educativa: así, muchos jóvenes españoles aprenderían a leer y escribir en las trincheras.

**Al final de la batalla.**

Las cansadas figuras de los soldados
indican el fin de la batalla. Los frentes
estabilizados permitían acercamientos entre
los soldados de ambos bandos: trueques
de mercancías -uno de los más comunes
era el intercambio de picadura por papel de
fumar, la primera abundante en la zona
franquista, el segundo, en la republicana-;
"luchas" a base de canciones y hasta
partidos de fútbol, pero la guerra abierta y
de movimientos implicaba el uso de
aviones, tanques, bombas y artillería y el
combate cuerpo a cuerpo. Fruto de una
movilización que desbordaba toda
previsión, la variada indumentaria de los
miembros del ejército era común en ambos
bandos, especialmente entre la tropa:
polainas, pantalones largos o leggis se
combinaban con guerreras, cazadoras o
jerseys, y como prendas de abrigo se
usaban capotes, chaquetones y hasta
simples mantas a las que se les hacía
un agujero.

**El rancho. (K. Horna)**

La estabilización de muchos frentes haría que las escenas de la vida cotidiana se centraran en preparar la comida y cantar. Pero también en esto las diferencias serían importantes en ambos bandos enfrentados: en general, los soldados republicanos, dadas las dificultades de suministro de la República, pasarían más frío y estarían peor alimentados que los franquistas. Mientras en el bando gubernamental se adaptarían a la situación de guerra las letras de canciones populares, en el bando franquista predominarían las marchas e himnos militares.

**Guardia civil limpiando el uniforme.**

Desde su creación a mediados del siglo XIX, la Guardia Civil había sido la principal fuerza de orden público en España, en particular en las zonas rurales. Su papel en la represión de las acciones de protesta de las clases populares había generado un rechazo muy fuerte de éstas hacia la "Benemérita". Pero más de la mitad de sus efectivos permanecieron fieles al gobierno republicano tras el 18 de julio de 1936, coadyuvando, por ejemplo, al fracaso del golpe de Estado en Barcelona. Esto llevaría al general Franco a plantearse disolver la institución cuando acabase la guerra.

**Soldados republicanos hablan con periodistas. (Hemingway de espaldas)**

La Guerra Civil española conmovió los cimientos de la intelectualidad internacional, muchos de cuyos miembros se posicionaron claramente por uno u otro bando, en una larga lista imposible de enumerar aquí. Fue también la primera guerra en que los corresponsales de prensa tuvieron un papel destacado, enviando sus crónicas y fotografías desde todos los frentes de ambos bandos: es el caso de Jay Allen, cronista de la entrada de las tropas franquistas en Badajoz, o de Ernest Hemingway, que posteriormente escribiría sobre el conflicto español su famosa novela *Por quién doblan las campanas*.

# Llegan también de otros países

Durante la Guerra Civil, llegaron corresponsales de prensa de todo el mundo pero la mayoría de los extranjeros vinieron a España como combatientes. Hubo voluntarios que lucharon en ambos bandos. Con Franco, procedían mayormente de Portugal, Irlanda, Rumania y Francia, y había también rusos blancos. Los que lucharon al lado de la República procedían de más de cincuenta países. Para los refugiados italianos, alemanes y austriacos huyendo del fascismo y del nazismo, las Brigadas Internacionales suponían una oportunidad de volver a la lucha y, posiblemente, de volver a sus países. Los voluntarios de las democracias hicieron el arriesgado viaje a España temerosos de lo que podría significar para el resto del mundo la derrota de la República española. Enfrente tenían fuerzas italianas y alemanas, parte de la ayuda oficial, escasamente voluntaria, mandada por Hitler y Mussolini. El movimiento espontáneo a favor de la República fue canalizado por el Comintern. Ante la escala de la ayuda proporcionada a Franco por las potencias fascistas, la Unión Soviética, con gran reticencia, también empezó a mandar tanques y aviones, además de técnicos especialistas.

Con la capital azotada por las bombas alemanas e italianas, las primeras unidades combatientes de las Brigadas Internacionales llegaron a Madrid el 8 de noviembre. Aportaron cierta experiencia militar, distribuidas entre los milicianos, elevaron la moral e hicieron una contribución crucial a la defensa de Madrid. Después, entre diciembre y febrero, las Brigadas desempeñaron un papel decisivo a la hora de repeler los esfuerzos franquistas de cercar Madrid. En marzo de 1937, brigadistas italianos del batallón Garibaldi tuvieron un papel importante en la derrota de las fuerzas italo-franquistas en la batalla de Guadalajara. Después, conforme la República iba organizando su ejército popular, y el conflicto se convirtió en una guerra más convencional de maniobra, el papel de las Brigadas fue menos importante. Los supervivientes fueron retirados en octubre de 1938 como gesto unilateral del Gobierno de Juan Negrín con la vana esperanza de cambiar las actitudes de las democracias occidentales. En ese momento, todavía quedaban unos doce mil en España. En total, a lo largo de la guerra habían sumado unos cuarenta mil. Casi el veinte por ciento encontraron la muerte y la mayoría sufrieron heridas de diferente grado de severidad. La contribución por tierra, mar y aire de las unidades italianas y alemanas fue crucial hasta el final de la guerra.

Brigadistas. (R. Capa)

Organizadas por la Internacional Comunista, llegarían a España las llamadas Brigadas Internacionales, formadas por voluntarios de países tan variados y diferentes, como el Reino Unido, Alemania, Estados Unidos, Cuba, México o Nueva Zelanda. Formadas por antifascistas, normalmente jóvenes y en su mayoría comunistas –se calcula que un 80%–, pero también socialistas o sin partido, destacarían en ellas los miembros de los países europeos que vivían bajo regímenes dictatoriales o fascistas, como Austria, Alemania o Italia, y que, dada la ayuda de las potencias fascistas al bando franquista, verían la guerra española como una forma de luchar contra sus propios gobiernos.

Oviedo, 1937. Voluntarios de las Brigadas Internacionales descansando. (D. Seymour)

Los combatientes voluntarios de las Brigadas Internacionales formarían primero brigadas organizadas en función de sus países de origen, para integrarse posteriormente en el Ejército Popular republicano. Jugarían un importante papel, probablemente más simbólico y psicológico que real, al llegar a Madrid en plena resistencia de ésta al avance de las tropas franquistas en noviembre de 1936. Más importante sería su participación militar en batallas como la de Guadalajara -donde el enfrentamiento entre la brigada italiana Garibaldi y el Corpo di Truppe Volontarie (CTV) enviado por Mussolini en apoyo de Franco sería una muestra clara de la división de la sociedad europea de los años treinta- o en la batalla del Ebro, y muchos morirían combatiendo en España.

**Despedida de las Brigadas Internacionales cerca de Barcelona.**

En noviembre de 1938, intentando lograr la aplicación del acuerdo del Comité Internacional de No Intervención (con sede en Londres), para que se retiraran las tropas extranjeras que estaban luchando en la Guerra Civil española, el gobierno republicano decidió que los combatientes internacionales se marcharan de España. Éstos recibieron una multitudinaria y agradecida despedida de las autoridades, y de los militantes republicanos en general, en Barcelona. El futuro de estos brigadistas no fue nada fácil: muchos apátridas (alemanes, austriacos o italianos) se exiliarían en la Unión Soviética, donde serían en algunos casos víctimas de las purgas estalinistas, otros lucharían en la Segunda Guerra Mundial, con sus respectivos países, o en la resistencia clandestina, o serían prácticamente proscritos en su país, por comunistas, como sucedería con los estadounidenses miembros de la Brigada Lincoln.

La Legión Cóndor en Berlín a su regreso de la guerra española, 1939.

Aunque en la ayuda prestada por la Alemania nazi al bando franquista sería más importante el suministro de material de guerra, el cuerpo de aviación llamado Legión Cóndor pasaría a la historia, por la escasa importancia de la aviación propia existente en España al comienzo de la Guerra Civil, y por el papel que jugaría en la lucha aérea. Se ensayarían en España, con el acuerdo de las autoridades franquistas, nuevas técnicas militares, como los bombardeos sobre poblaciones civiles, entre los que destacarían los de Guernica y Durango en el País Vasco. La Legión Cóndor no se retiraría de España prácticamente hasta el final de la guerra y serían recibidos como héroes por el gobierno de Hitler a su vuelta a Alemania.

Sistema de transporte de los corresponsales, Cantabria.

La presencia de corresponsales en las guerras se remonta a mediados del siglo XIX cuando el desarrollo del telégrafo permitió el envío rápido de crónicas periodísticas. A la Guerra Civil española llegaron desde un primer momento corresponsales de muchos países. A pesar de las penurias y dificultades de los transportes, estos periodistas y fotógrafos extranjeros viajarían por los frentes y retaguardias de ambas zonas escribiendo crónicas y obteniendo imágenes que influyeron, tanto en el conocimiento que tenían en un bando de lo que sucedía en el otro, como en la opinión pública de sus respectivos países.

# Mujeres, madres y soldados

La Segunda República concedió mucho a las mujeres españolas y la victoria de Franco en la Guerra Civil les arrebató aún más. En los cinco años y cuarto antes del golpe militar de julio de 1936, la reforma cultural y educativa había transformado las vidas de muchos españoles, especialmente de las mujeres. Antes de 1931, a las mujeres no les estaba permitido firmar contratos, administrar negocios o fincas o casarse sin arriesgarse a perder su puesto de trabajo. La Constitución republicana de diciembre de 1931 les otorgó los mismos derechos legales que a los hombres, permitiéndoles votar, presentarse a las elecciones y legalizó el divorcio, aunque, como reacción, muchas mujeres católicas influidas por sus confesores vilipendiaron gran parte de esta legislación tachándola de 'impía'. En el periodo de 1931 a 1936 las mujeres de la izquierda y de la derecha se movilizaron política y socialmente como nunca lo habían hecho antes. Participaron en campañas electorales, comités de sindicatos, manifestaciones de protesta y en el sistema educativo tanto a través de la extensión masiva de la escolarización primaria como de la apertura de las universidades.

El comienzo de la Guerra Civil y la necesidad de movilizar a la sociedad para la guerra total otorgó a las mujeres de ambos bandos una participación absolutamente nueva en las funciones del Gobierno y de la sociedad. Hacía falta que las mujeres asumieran la infraestructura económica y de asistencia social. En la zona republicana, las mujeres no sólo desempeñaron un papel crucial en la producción industrial sino que ocuparon importantes puestos en la política. Aquello no estaba libre de complicaciones. Las mujeres jóvenes comprometidas con la política que tomaron las armas y se fueron a luchar como milicianas lucharon con gran valor cuando les fue permitido. En la retaguardia, las mujeres se encargaban de los servicios públicos del transporte, de la asistencia social y de la sanidad. Aquello, junto con el desempeño de la función de cabeza de familia, tuvo un efecto drástico en las relaciones de género tradicionales. Tal situación duró poco y se limitó a la esfera pública. La vida doméstica raramente se democratizó y las mujeres seguían asumiendo la responsabilidad principal de cocinar, de limpiar y de los cuidados infantiles, incluso al mismo tiempo que organizaban una parte crucial de la infraestructura civil de la guerra. A medida que las fuerzas franquistas conquistaban el territorio republicano, se dio la vuelta a la revolución feminista de la Segunda República con una violencia brutal.

07

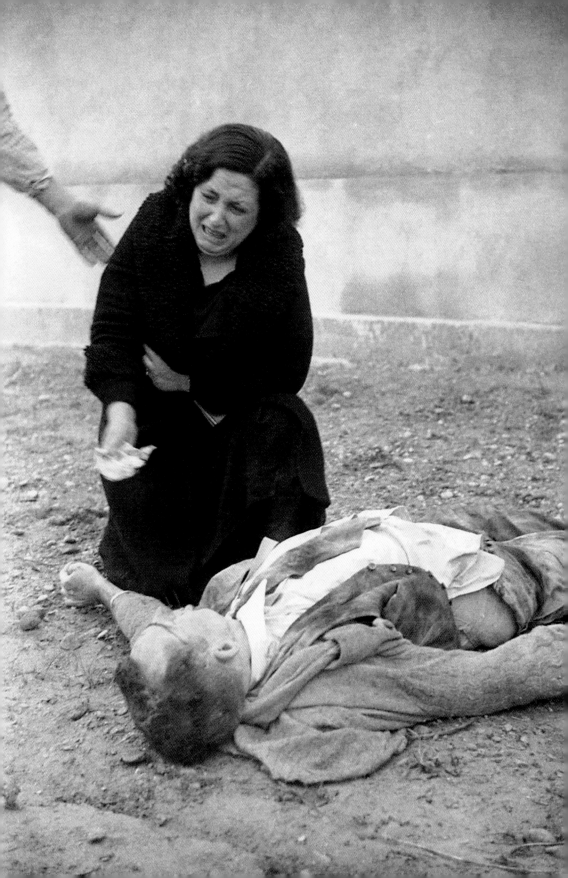

# THE SPHERE

With which
is incorporated
"THE GRAPHIC"

**The Empire's Illustrated Weekly**

London, October 17, 1936

### Junto a las ruinas.

La presencia en el frente de las mujeres nunca estuvo demasiado bien vista y menos en el bando franquista, donde se defendería para la mujer el rol tradicional de esposa y madre, pero esto no significa que no se pudieran visitar los restos de un edificio emblemático, como era el patio del Alcázar de Toledo junto a un soldado. La coyuntura de la guerra rompió muchas ataduras, incluso cuando no era eso lo que se quería y aunque fuera sólo brevemente: por ejemplo, las señoritas de provincias, que nunca salían solas, irían durante la guerra a la Sección Femenina falangista o a colaborar en los hospitales de sangre.

### Portada de revista. Joven viuda.

La Guerra Civil desarticularía muchas familias, dejando un conjunto de mujeres viudas -especialmente jóvenes dada la edad de los combatientes-, con hijos pequeños a su cargo, como reflejaron muy pronto las publicaciones nacionales y extranjeras, en este caso, una revista inglesa que mostraba en su portada, ya en 1936, a una joven viuda con su hija flanqueada por un falangista. La marcha constante de los hombres jóvenes hacia el frente, y un reguero de viudas y huérfanos, serían el reflejo de la guerra en muchos pueblos de España que no eran frente de batalla y que quedaron desde un primer momento en manos de los franquistas, como los pueblos gallegos o los de Castilla La Vieja.

### Mujer ante el cadáver se su marido, despúes del bombardeo de Lérida. (A. Centelles) (Página 125)

Un hecho generalizado durante la Guerra Civil fue el sufrimiento provocado por los bombardeos aéreos sobre las ciudades, como refleja esta foto. Ya en agosto de 1937, las tropas franquistas bombardearon Lérida, aunque ésta continuó en poder de los republicanos, pero tras la batalla de Teruel, la superioridad franquista derribó las líneas republicanas, ya manifiestamente débiles. Durante una semana, las tropas republicanas dirigidas por El Campesino defendieron Lérida pero el 3 de abril de 1938 fue ocupada por las tropas de Franco.

Las mujeres suplican por su vida a los soldados rebeldes que toman el pueblo de Constantina, Sevilla.

El suroeste español (englobando Melilla, Huelva, Sevilla, Cádiz y Extremadura) fue el primer escenario de actuación del Ejército de África. Aunque los planes represivos eran de aplicación general, las características particulares de la zona hicieron que la represión durante la Guerra Civil fuera de una dureza como no se dio en otras zonas, alcanzando su cota máxima entre agosto y octubre de 1936. Al ser un pequeño número de tropas en un entorno hostil, desarrollaron una verdadera "limpieza" de las poblaciones, usando las tácticas coloniales que aplicaban en Marruecos contra los rifeños. Ocupadas las diversas poblaciones, se depuraban las autoridades, fusilando muchas veces a todos los componentes de los ayuntamientos, y se nombraban nuevas. Todo aquél que no llevaba uniforme era "rebelde" y no tenía derecho a la vida, y muchas mujeres fueron rapadas o violadas.

**Evacuación de Madrid. Grupo de mujeres.**

La situación insostenible de Madrid, sitiada, bombardeada, con cortes de electricidad, dificultades de vivienda y suministros, y con un gran número de refugiados llegados desde otras zonas a los que se sumaban los vecinos de los barrios madrileños destrozados por la aviación y la artillería nacional, haría que el Gobierno republicano diera la consigna de evacuar Madrid, especialmente de niños, mujeres y ancianos. Muchos huirían con unas escasas pertenencias, y en muchos casos en improvisados transportes, y hasta andando, por la carretera de Valencia.

Éxodo de habitantes de Huesca. (A. Centelles)

La ciudad de Huesca quedó en poder de los franquistas desde el principio de la guerra, pero permaneció asediada por los republicanos, que hicieron varios intentos por tomar la ciudad, sin conseguirlo por la superioridad aérea franquista y la resistencia de los sitiados. Tras la batalla de Teruel, las tropas franquistas continuaron su avance por Aragón y, el 22 de marzo, los cuerpos de Navarra, Aragón y Marroquí del ejército franquista levantaron el cerco de Huesca tras tomar los pueblos de Tardienta y Alcubierre. Durante toda la campaña, diferentes grupos de poblaciones civiles huirían por carreteras o caminos pirenaicos intentando alejarse del frente de guerra.

Una mujer y dos milicianos parapetados tras un automóvil. Toledo.

Uno de los hechos más destacados del cambio social iniciado durante la Segunda República, y acelerado en el sector republicano durante la Guerra Civil, sería la creciente participación de la mujer en actividades públicas y políticas. En los primeros momentos tras el comienzo de la Guerra Civil, esta participación incluiría su actividad en los frentes como milicianas, aunque al adquirir el conflicto el carácter de guerra larga, el pragmatismo hizo que se prefiriera que las mujeres sustituyeran a los hombres en el trabajo en la retaguardia y se ocuparan de actividades asistenciales.

Alimentando al niño. Le Perthus, Francia,
28 de enero de 1939.

Al puesto fronterizo de Le Perthus, en
Francia, llegó, tras la caída de Cataluña,
una oleada de refugiados hambrientos, en
primer lugar niños y mujeres. Estas últimas
volvieron a ser, como durante la guerra, las
que se ocupaban de buscar, nuevamente
con escasas posibilidades, comida con que
alimentar a sus hijos. Cuando el Gobierno
francés organizó campos de concentración
en el interior de Francia para repartir a los
refugiados españoles hacinados en los
campos de la frontera, creó dos
exclusivamente para mujeres. El exilio sería
más duro para las mujeres viudas, con hijos
a su cargo y escasas posibilidades laborales.

# La vida continúa
# en la retaguardia

Después de la euforia de la derrota del golpe en Madrid y Barcelona, y la salida de los voluntarios a la sierra y al frente de Aragón, la vida en la retaguardia adquirió cierta normalidad y rutina. Durante el asedio de Madrid, la población no fue militarizada y la capital tardó en darse cuenta de la gravedad de su situación. Las cafeterías estaban llenas y los obreros seguían trabajando en la construcción de nuevos edificios. Efectivamente, llegó a ser normal ver civiles con armas por la calle y hombres uniformados por todos lados. Pronto, la retaguardia significaría el hambre y colas interminables para buscar alimentos, y el frío como consecuencia de los cortes de luz. También había graves problemas de vivienda conforme se iba inundando la ciudad de refugiados desalojados de sus casas en el sur y trasladados a Madrid; luego se verían evacuados de Madrid al Levante, y del Levante a Barcelona, y finalmente de Barcelona a Francia.

Había muchos actos políticos y desfiles para levantar la moral pero cada vez funcionaban menos para disipar el miedo. Quizás la nota dominante de la retaguardia republicana en las ciudades era el miedo, el miedo a qué haría el Ejército de África cuando llegara y, mientras, el miedo a los bombardeos y la tarea nocturna de descender al Metro en busca de refugio subterráneo. También estaba el miedo de la gente acomodada hacia las patrullas de milicianos de izquierdas, las 'sacas' y las 'checas'. Cuando el general Mola anunció que avanzaban cuatro columnas hacia Madrid, y que les esperaba una quinta, expuso al encarcelamiento y fusilamiento a gente de derechas.

En la zona franquista, apenas había problemas de subsistencia. En comparación, hubo bastantes menos refugiados. También había muchos desfiles, ceremonias políticas y misas. La asistencia a misa aumentó masivamente. Hubo un caos de uniformes y banderas. En los hoteles de lujo de Sevilla, Salamanca y Burgos, había problemas para dar cabida a los oficiales alemanes e italianos. También había miedo a la represión. En Valladolid por ejemplo, los presos condenados por los consejos de guerra fueron llevados a las afueras de la ciudad al alba donde se montaron puestos de café y churros para la gente de bien que fue a presenciar las ejecuciones. El terror era 'normal' y nadie se atrevió a denunciarlo por temor a ser condenado como rojo. En las ciudades del sur había un ambiente de terrible terror sembrado por los durísimos delegados de orden público nombrados por el general Queipo de Llano, como el capitán Manuel Díaz Criado en Sevilla, el comandante Gregorio Haro Lumbreras en Huelva, el Teniente Coronel Manuel Pereita Vega en Badajoz.

08

**Hospital de sangre instalado en el frontón Recoletos de Madrid por la CNT.**

La reordenación de los espacios arquitectónicos fue también una pugna ideológica, aunque las necesidades impuestas por la guerra dominaron en la asignación de funciones a los edificios. Así, el gran número de heridos que había en Madrid, tanto los producidos en los frentes como los provocados por los bombardeos, haría que numerosos edificios, como este frontón de la capital, fueran transformados en hospitales, dirigidos por diferentes organizaciones y en los que trabajarían principalmente mujeres.

**Miliciano despidiéndose de su hijo, que lo llevan a Francia, 1938.**

Desde distintos puntos de España, muchos niños serían trasladados a Francia durante la guerra intentando alejarlos de los peligros y penurias de la guerra. Habría dos momentos principales: la salida desde las costas cantábricas al caer el frente del norte a lo largo de 1937 y, a partir de febrero de 1938, tras la batalla de Teruel y la caída del frente de Aragón. Se calcula que, de los 45.000 refugiados españoles que había en Francia a finales de 1938, al menos una cuarta parte eran niños.

**Camino de Atocha durante la evacuación de Madrid. Diciembre de 1936. (Página anterior)**

En diciembre de 1936, las autoridades republicanas darían la orden de evacuar Madrid de no combatientes por el único camino que quedaba abierto: el que iba hacia las costas levantinas. Pero las actas de la Junta de Defensa creada en la capital dan a entender que esta consigna no dio el resultado deseado: se hablaría de que el problema principal era la falta de transportes suficientes, pero también de que muchas personas consideraban que no evitarían el hambre yéndose de la ciudad, y que los madrileños no querían abandonar la capital y lo que quedaba de sus casas y sus pertenencias. Además, como reflejó Arturo Barea (*La forja de un rebelde*) aunque el enemigo estaba a las puertas de Madrid, si no había entrado el 7 de noviembre, ¿porqué iba a hacerlo ahora?

Evacuados en la provincia de Córdoba, 1936.

A medida que se conocían las acciones represivas de las tropas africanas, el miedo se apoderó de muchas personas. Sin capacidad de resistencia ante un ejército más organizado y mejor armado, milicianos y familias enteras evacuarían los pueblos ante el avance de las tropas mandadas por el general Varela, huyendo, como en este caso, llevando sus escasas pertenencias en borriquillos. En muchos casos, la huida por carreteras facilitó que las tropas africanas les alcanzaran con sus ametralladoras.

**Huyendo.**

Para muchas personas la Guerra Civil fue una continua huida: desde las poblaciones andaluzas y extremeñas hacia Madrid, al avanzar el Ejército de África, evacuados de Madrid hacia Levante por los bombardeos, y finalmente saliendo de allí o de Barcelona, tras la derrota final republicana. En muchos casos, fueron familias enteras andando por caminos y vías férreas, y llevando sólo unas escasas pertenencias.

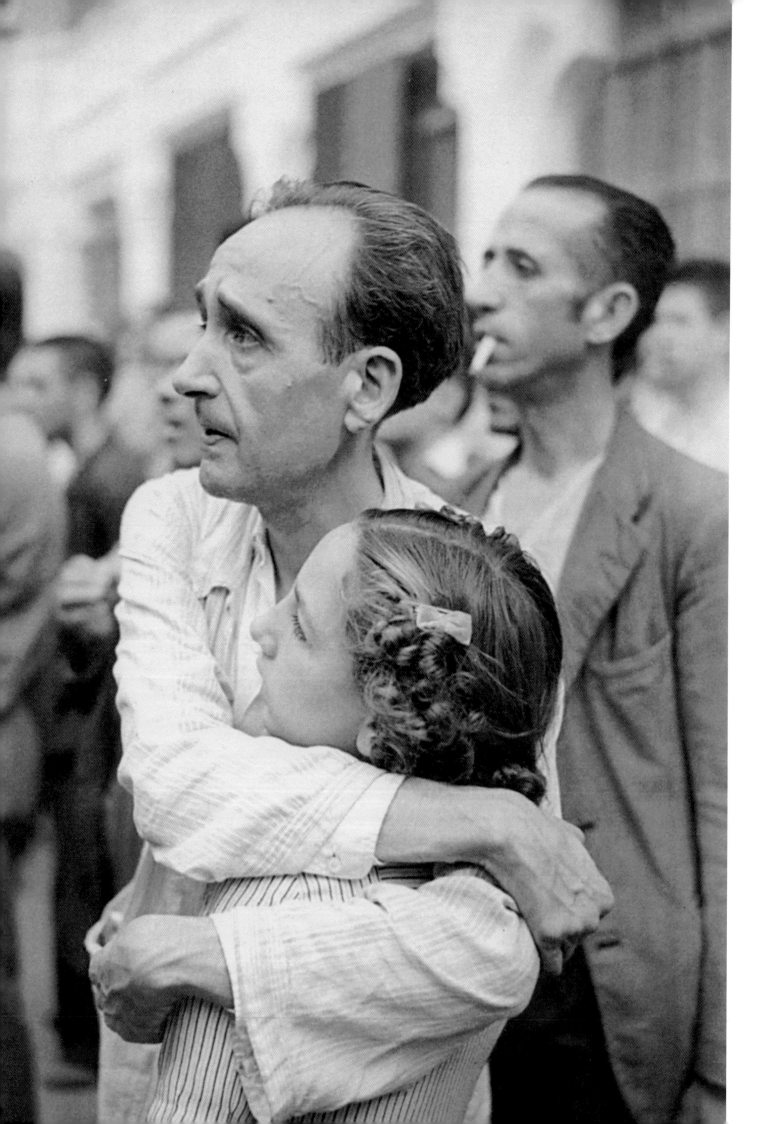

**Resguardándose de los bombardeos.**

La red de Metro, inaugurada por Alfonso XIII en 1919, serviría en el Madrid sitiado de refugio, más o menos improvisado, frente a los bombardeos que sufría la ciudad. También daría cobijo a personas que tenían que dejar sus casas destruidas por la aviación o la artillería enemiga, y a los refugiados, cada vez más numerosos, que llenaron la ciudad huyendo de las zonas que iban conquistando las tropas franquistas, como Extremadura, Toledo o los entonces pueblos limítrofes de Madrid, como los dos Carabancheles.

**Abrazando a su hija. Madrid. (Alfonso S.)**

El sonido de las sirenas que avisaban de los bombardeos provocaría el pánico en las calles de la capital de España y el aferramiento a los familiares, como muestra este padre abrazando a su hija. Mientras, al comenzar la guerra, los madrileños no tenían el reflejo de refugiarse rápidamente ante el aviso de la llegada de aviones enemigos, con el avance del conflicto se acostumbraron a convivir con los bombas: al sonar las sirenas los peatones se refugiaban en el sitio más próximo y, al acabar los ataques, los alcanzados por la metralla, muertos o heridos eran recogidos, mientras los demás seguían su camino.

Soldados nacionalistas en las calles de Zamora, 18 de agosto de 1936.

Prácticamente toda Castilla La Vieja, tradicionalmente de signo conservador, quedó desde un primer momento en poder de los franquistas, que organizarían las ciudades de forma militar y recurriendo a las redes tradicionales de poder. Se establecerían comités con curas, guardias civiles, e importantes propietarios que evaluarían las conductas de la población. Normalmente, serían condenados a penas de prisión aunque, en muchas ocasiones, patrullas de la Falange o de la Guardia Civil se llevaban a los prisioneros de las cárceles y les fusilaban a las afueras de las ciudades.

**Fiesta deportivo-militar. Estadio de Chamartín. 26 de septiembre de 1937.**

Las actividades deportivas adquirieron un marcado carácter militar durante la guerra, como muestra el movimiento "Alerta", que surgiría en Madrid en 1936 y que se extendería por toda la zona republicana, con la idea de reunir a chicos de entre 14 y 20 años para prepararlos técnicamente para su incorporación al Ejército, que se realizaba a los 20 años, a través de la educación física y de los deportes, y de la enseñanza del manejo de las armas y las técnicas de guerra más elementales. Se organizarían actos deportivo-militares –mezcla de ocio y muestra de logros para insuflar ánimos a la población– como éste celebrado en el Campo de Charmartín. Perteneciente al Real Madrid, este estadio había sido incautado el 4 de agosto de 1936 por la Federación Deportiva Obrera. Al acabar la guerra, sería utilizado como campo para prisioneros republicanos, hasta que a finales de octubre de 1939 reabrió sus puertas al público con su función tradicional.

**Padre e hijo.**

La Guerra Civil desestructuró las relaciones familiares, y aunque en algunos casos, padres e hijos continuaron juntos, muchos se vieron separados por la guerra e incluso enfrentados en bandos distintos. Muchos adolescentes se hicieron adultos muy deprisa y tuvieron que cambiar las áulas por las trincheras primero, y por las prisiones o el exilio después, o por el trabajo al estar el padre ausente, primero en la guerra y después muerto o en la cárcel. Pero esto también supuso para muchos jóvenes una emancipación de las tutelas familiares y sociales y, por lo tanto, una mayor independencia.

**Iglesia convertida en Hospital. (K. Horna)**

En la zona republicana, todas las propiedades de la Iglesia fueron incautadas. Aunque muchos conventos e iglesias fueron incendiados, otros, al igual que diferentes edificios que habían pertenecido a instituciones eclesiásticas, fueron habilitados para diferentes fines en función de las necesidades de la guerra (escuelas, hospitales, centros de instrucción militar, albergues para refugiados, cines y hasta prisiones). Este caso muestra una iglesia incautada por el sindicato anarcosindicalista Confederación Nacional del Trabajo (CNT) y convertida en hospital.

**Desalojo de edificios. En la calle San Roque.**

El problema de la vivienda fue especialmente grave en ciudades republicanas como Madrid y Barcelona, en donde a los vecinos que perdían su vivienda al quedar ésta inhabitable por los bombardeos del enemigo –y que intentaban salvar el mayor número posible de enseres y pertenencias, como muestra la foto–, había que sumar un gran número de refugiados que llegaban a estas ciudades desde otras zonas ya ocupadas por las tropas franquistas. Se habilitaron todo tipo de precarios alojamientos para estas personas que sufrían la desolación de perder sus hogares.

**Haciendo guardia. Obispado de Barbastro, Huesca. (A. Centelles)**

Barbastro fue la única ciudad de Aragón con guarnición militar que no se sublevó el 18 de julio de 1936. Esto, unido a su cercanía al frente, haría que fuera paso obligado de numerosas columnas de milicianos y unidades militares, en especial de las catalanas. Durante las primeras semanas de la guerra se produjo una oleada anticlerical e iconoclasta, en la que asesinaron a varios religiosos, ardieron iglesias enteras, imágenes, cuadros... Pero miembros de las organizaciones que conformaban el Frente Popular protegieron y salvaron el magnífico retablo de la catedral. George Orwell describió el Barbastro de los años de la guerra en su obra *Homenaje a Cataluña.*

En la calle se acumulan diversos objetos procedentes de iglesias y conventos.

En el campo republicano, los religiosos fueron las principales víctimas de la ola de terror que se produjo como consecuencia del alzamiento en las primeras semanas del conflicto. Pero, además de la violencia física, hubo también una "violencia simbólica" iconoclasta, centrada en la quema o profanación de la misma simbología católica -imágenes, retablos, vasos sagrados, altares, ornamentos y demás objetos de culto-, que tampoco era gratuita, sino que buscaba certificar que dichos símbolos habían perdido el poder que tenían tradicionalmente. La organización en Madrid de una Junta de Incautación y Protección del Tesoro Artístico el 23 de julio de 1936, por parte de la Alianza de Intelectuales Antifascistas que recibiría más tarde el respaldo del gobierno republicano, hizo que se crearan juntas delegadas de la madrileña en diferentes provincias, salvando un valioso patrimonio artístico que fue trasladado a diferentes depósitos.

Lavando a las 7 de la mañana. (K. Horna)

Al transformarse el intento de golpe de Estado del 18 de julio en una larga guerra civil, la vida se reorganizaría en la retaguardia para cubrir las actividades cotidianas, manteniéndose, especialmente en las zonas alejadas de los frentes, algunas de estas actividades con escasos cambios, como muestra el que las mujeres fueran con sus cestos a lavar la ropa a fuentes o a ríos, estampa común en muchos pueblos hasta hace no demasiadas décadas.

**Centro infantil en Barcelona. (K. Horna)**

Mientras en el bando franquista se dejó gran parte de la
actividad asistencial en manos privadas, en la zona republicana
todas las instituciones de ayuda a la infancia estuvieron
supervisadas por el Ministerio de Instrucción Pública. Fueron
instalados numerosos centros infantiles en las zonas más
alejadas del frente como Cataluña y Levante, donde se enviaron
a huérfanos o a niños refugiados de zonas ya conquistadas por
los franquistas o de ciudades que se consideraban más peligrosas
como Madrid. Muchos niños vivirían en los mismos centros y
otros residirían con familias de acogida.

**Fiesta fallera.**

En la zona republicana, las fiestas religiosas serían reemplazadas
por celebraciones laicas (por ejemplo el Día de los Reyes Magos
pasaría a ser el Día del Niño), pero se mantendrían fiestas
populares como las Fallas, en las que se mezclaría la tradición
cultural con los nuevos símbolos desarrollados durante el
conflicto, como muestra la foto con la reina de las fallas
levantando el puño. En la zona franquista se prohibiría el
Carnaval y se potenciarían las fiestas religiosas, como el 8 de
diciembre (Día de la Inmaculada Concepción). Ya en 1937, se
celebró el 18 de julio como "Primer Año Triunfal".

# Por aire, tierra y mar

La Guerra Civil española fue el primer conflicto internacional en el que la aviación y los tanques desempeñaron un papel crucial. Entre varios hitos importantes hubo el primer puente aéreo militar de la historia que facilitó el paso del Ejército de África a Sevilla en el verano de 1936; la coordinación de operaciones de aire y tierra perfeccionada por los alemanes en la campaña del norte de 1937 y posteriormente aplicada en sus ataques *Blitzkrieg* a Polonia y Francia; el uso de bombardeos terroríficos con la finalidad de desmoralizar a las poblaciones civiles; el estreno de la nueva generación de tanques rusos pesados durante la defensa de Madrid o el uso rápido de los tanques alemanes por el coronel Wilhelm von Thoma durante el avance de Franco hacia el Mediterráneo en la primavera de 1938; y, durante la batalla de Brunete de julio de 1937, la utilización de los cazas monoplano alemanes que iban a dominar los conflictos aéreos de la Segunda Guerra Mundial.

Los aviones y blindados italianos y alemanes proporcionaron a los golpistas una superioridad tecnológica sin precio durante la marcha sobre Madrid, y después en muchas otras campañas. Solamente durante el asedio de Madrid y la batalla de Guadalajara fue mermada la superioridad aérea franquista. A pesar de la llegada de aparatos soviéticos, Madrid fue la primera ciudad europea bombardeada por la aviación. Franco tomó la decisión de ordenar lo que se llamó 'un ensayo de actuación desmoralizadora de la población'. Los bombardeos alemanes fueron diarios durante el mes de noviembre. En un notorio ataque sobre Getafe, murieron sesenta niños el 30 de octubre. Franco había dicho a un periodista portugués: 'Destruiré Madrid antes que dejárselo a los marxistas', pero finalmente pudo comprobar que no era fácil acabar con la moral de la capital.

En cambio, en el País Vasco, los bombardeos de pueblos como Durango y Guernica desmoralizaron a las milicias vascas. La amenaza por parte de Mola de repetir los mismos bombardeos en Bilbao, donde desde finales de mayo de 1937 no había luz ni agua, minó la resistencia. Barcelona sería bombardeada de manera sistemática y masiva durante casi tres años y con especial ferocidad a partir de marzo de 1938. También, aviones alemanes e italianos volando desde Mallorca bombardearon a muchos pueblos de la costa levantina, entre ellos Valencia, Gandía, Alicante, Cartagena y Almería con el fin de destrozar el flujo de suministros a la República.

09

**Bombardeo en el País Vasco.**

La lucha por el control del País Vasco en la primavera de 1937 fue una sucesión de lentos combates en la complicada orografía de la región. Frente a la prácticamente absoluta ausencia de la aviación republicana, Franco contaba con los potentes aviones italianos y alemanes, que fueron el arma más eficaz a la hora de acabar con la resistencia de las milicias nacionalistas, socialistas y anarquistas (en el País Vasco nunca llegó a conformarse un verdadero Ejército republicano unificado). Los continuos bombardeos de líneas defensivas, pueblos y fortificaciones donde resistían los republicanos comprometería muchísimo la vida de los civiles, y la superioridad de la artillería y la aviación franquista acabarían imponiéndose

**Bombardeo sobre Bilbao. (R. Capa)**

La última etapa de la conquista del País Vasco por las tropas franquistas fue la caída de Bilbao, donde se centró la lucha desde finales de mayo. Aunque se había establecido una línea defensiva alrededor de la ciudad -llamada "cinturón de hierro"- su calidad era muy limitada y los atacantes obtuvieron, además, los planos de la defensa al pasarse el capitán Goicoechea al bando franquista. Incomunicada del resto de la zona republicana, la ayuda que pudo recibir fue escasa, y aunque se intentó resistir, Bilbao no tenía ni luz ni agua y fue bombardeado constantemente por la aviación y la artillería franquista. Las milicias republicanas acabaron replegándose hacia Santander y el 19 de junio de 1937 Bilbao era ocupada por el Ejército franquista.

**Avión derribado cerca de Madrid, 1936.**

Aunque el balance en el Ejército del Aire fue favorable a la República, en julio de 1936, la aviación española no era de gran importancia y la ventaja republicana duró poco: pronto aparecerían sobre Madrid los cazas Fiat italianos y los Heinkel alemanes. Los aviones de los países fascistas se harían dueños del cielo hasta la llegada de los cazas rusos, pero la lejanía de la URSS y las dificultades en el suministro de repuestos, siempre mantendría en desventaja a los republicanos. Así, el derribo de un avión enemigo se convertiría en todo un acontecimiento.

**Muertos en el asfalto. Impacto de un proyectil en la red de San Luis, Madrid. (J. Guzmán)**

Rodeada por las tropas franquistas y con el frente establecido ya en torno a la Ciudad Universitaria, la ciudad de Madrid sufriría no sólo bombardeos aéreos sino también la caída de numerosos proyectiles de artillería que producirían un gran número de muertos, como muestra esta foto del impacto de un proyectil en la Plaza de la Red de San Luis, aledaña a la Gran Vía. Esta última sería llamada humorísticamente durante la guerra "avenida de los obuses", por la cantidad de este tipo de proyectiles que caían allí, aunque los madrileños seguirían manteniendo en ella la vida social de la ciudad (cafés, cines...).

Los soldados de Franco requisan un tanque en Getafe abandonado por los republicanos. 1936.

Gracias al apoyo de aviones italianos y alemanes, Franco pudo pasar las tropas africanas, las más preparadas de España y en las que los mercenarios marroquíes formaban la parte más importante, a la Península en agosto de 1936. Esto permitió un rápido avance de sus tropas por Andalucía y Extremadura hacia Madrid y, a pesar de desviarse para recuperar el Alcázar de Toledo, llegarían pronto a los pueblos del sur de la provincia, como Getafe, sede de un aeródromo militar y del Segundo Regimiento de Artillería. Aunque ya había empezado a llegar la ayuda rusa, como muestra el tanque (un T26B de fabricación soviética), la debilidad del ejército republicano, que todavía no era más que un grupo de milicianos, soldados y guardias descoordinados, haría que pronto los franquistas lograran llegar a los límites de la capital.

**Tropas nacionales entran en una casa. Burgos, 1937.**

Desde el inicio de la guerra, se produjo en la retaguardia franquista una represión preventiva que tenía como objetivo impedir toda posible resistencia y paralizar psicológicamente a los adversarios. Se detendría, y en muchos casos se fusilaría o pasearía, a muchos militantes de los diferentes partidos y organizaciones que apoyaban al Frente Popular, se raparía a las mujeres, se registrarían las casas para asegurarse de que no había "rojos" escondidos, se depurarían los cuerpos de funcionarios, especialmente en el Magisterio, y se quemarían libros y hasta bibliotecas enteras. Abundaron también las delaciones como venganza por motivos personales, o por la envidia de quienes denunciando a un "rojo" se quitaban de paso a un posible competidor en los negocios o en las actividades profesionales.

**Aviación republicana bombardea un tanque italiano.**

La aviación se revelaría en la Guerra Civil como una fuerza decisiva. La llegada de los primeros aviones rusos a Madrid (llamados popularmente chatos, moscas y katiuskas) permitiría a los republicanos contrarrestar en cierta medida la ayuda recibida por los franquistas desde las potencias fascistas. La Italia de Mussolini colaboraría desde un primer momento con los sublevados con el envío de aviones, tanques (como el de la foto), asesores y municiones, además de todo un cuerpo del ejército –el Corpo di Truppe Volontarie- formado por "camisas negras" fascistas y militares, que contaba con unidades blindadas y su propia artillería y que estaba dirigido por el general italiano Roatta.

**Soldados nacionalistas transportando bombas.**

Al comenzar la Guerra Civil, ninguno de los bandos en conflicto contaba con material suficiente para desarrollar una guerra larga, y sin la intervención internacional, las operaciones hubieran durado unos pocos meses. Los criterios de los asesores alemanes e italianos en el bando franquista fueron muy importantes al poner en práctica sus ideas sobre el poder aéreo y los bombardeos estratégicos sobre blancos precisos y sobre ciudades. La escala en el peso de las bombas utilizadas por los franquistas llegaría a los 250 kilos en 1938.

Pendientes de los aviones. Barcelona.

Durante los primeros meses de guerra, tanto en Cataluña como en el centro de España los aviones republicanos controlaron los cielos, pero pronto el envío de aviones alemanes e italianos a Franco acabó con esta superioridad aérea. La llegada de los primeros aviones extranjeros a la zona republicana -unos pocos aviones franceses desarmados primero y los cazas rusos después-, despertaron curiosidad y entusiasmo entre la población.

Una niña es recogida por un vecino entre los restos de su casa en la que han muerto sus padres.

A pesar de, o precisamente debido a la crueldad de la guerra y la desolación y la muerte provocada por los bombardeos, también hubo lugar para la solidaridad y el apoyo mutuo, como muestra la foto. Muchas personas anónimas arriesgarían su vida por salvar a amigos, vecinos o simples desconocidos, de bombardeos, como en este caso, o de la represión, tanto en un bando como en otro.

Bombardeo del Mercado en Valencia.

Durante toda la guerra fueron importantes los bombardeos sobre ciudades y puertos de la costa levantina controlada por los republicanos, buscando bloquear una de las pocas vías de acceso de suministros que tenía la República. En esta actividad la participación extranjera fue fundamental: los bombardeos se realizarían con la ayuda de la flota alemana e italiana, y de la aviación franquista con base en Mallorca, que incluía aviones alemanes e italianos. Ataques contra ciudades y contra barcos republicanos, dentro de los mismos puertos o de camino a éstos, hicieron que la destrucción y el hambre llegaran también a las costas levantinas y a sus habitantes civiles, incluidos muchos refugiados que habían llegado de otras zonas creyendo huir del hambre.

Fuerzas nacionales asaltan una casa en Irún, 1936.

La mayoría de los defensores republicanos de Irún pudieron huir hacia la frontera francesa, incendiando antes algunos barrios de la ciudad, mientras que gran parte de la población que permaneció en la ciudad recibió jubilosamente a las tropas franquistas. Pero tras la toma de la ciudad, el 5 de septiembre de 1936, se registrarían las calles haciendo salir a los habitantes de sus casas, aunque la represión sería mayor tras la caída de Vizcaya, dado que cercados en tierra por las tropas nacionales y bloqueados en el mar por la armada franquista, las posibilidades de huir fueron mucho más limitadas.

**Ruinas de Guernica, 1937.**

El 26 de abril de 1937, Guernica quedó totalmente destruida por un ataque realizado por la Legión Cóndor alemana, en el que primero se dejaron caer bombas explosivas pesadas para concluir prendiendo fuego a la ciudad con bombas incendiarias. Pero esta destrucción masiva no fue sólo parte de un ensayo de nuevas técnicas militares, esta táctica, que se haría común durante la Segunda Guerra Mundial y en guerras posteriores y que en menor escala, ya había sido utilizada en la Guerra Civil, por ejemplo en Madrid, en octubre de 1936. Guernica, como capital medieval y tradicional del País Vasco, era un símbolo del nacionalismo vasco representado por el PNV y también de la recientemente adquirida autonomía del País Vasco, obtenida con la aprobación por los miembros de las Cortes leales a la República del Estatuto de Autonomía, frenado entre 1934 y 1935 por la mayoría de centro-derecha de las Cortes.

**Huyendo de los bombardeos.**

Serían principalmente mujeres y niños, llevando consigo lo indispensable, quienes huirían por campos y carreteras para evitar las zonas que pasaban a ser frentes activos de guerra, y hacia donde se dirigían los ataques de ametralladoras y aviones enemigos, en una desesperada carrera por la supervivencia.

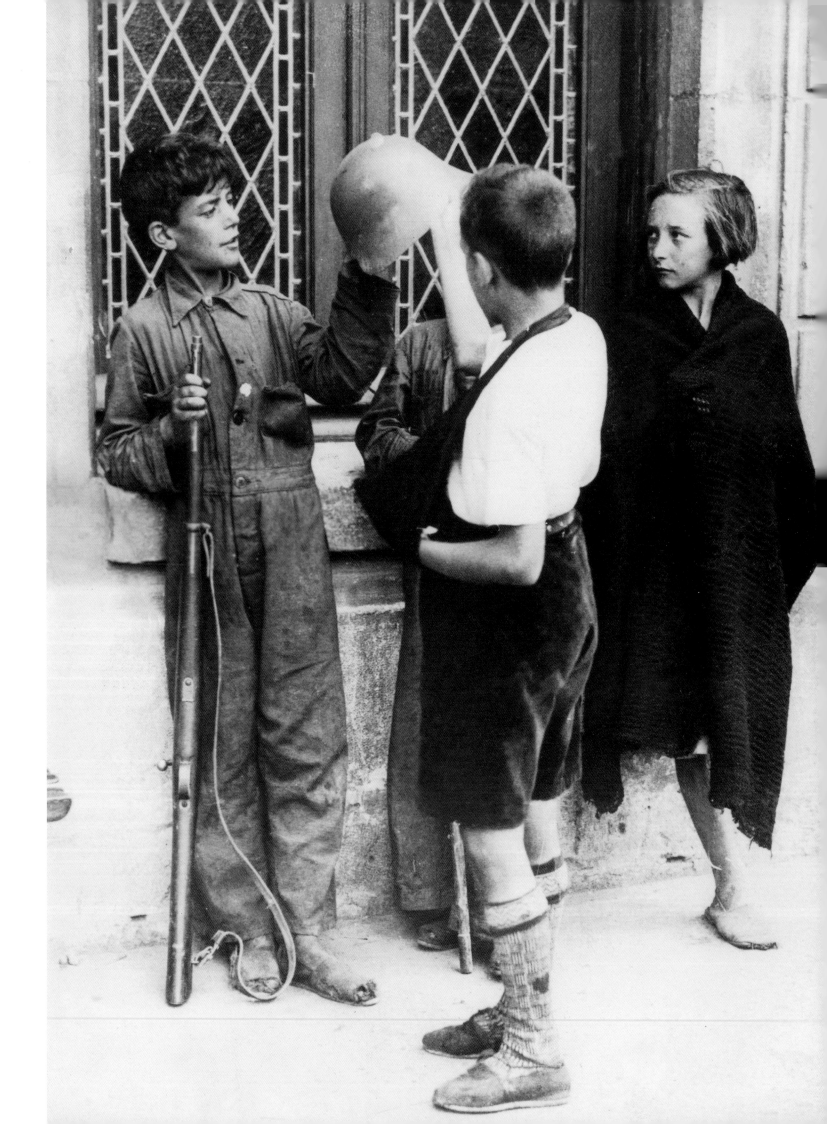

# 10

# Los niños juegan a las guerras

En ambos bandos, fuera por el natural deseo de los niños de imitar a sus padres o porque los propagandistas vieron así la manera de explotarlos, se veían con frecuencia a niños vestidos de Flechas falangistas y Pelayos carlistas desfilando brazo en alto en zona nacionalista, y otros vestidos de miliciano saludando con el puño cerrado en la zona republicana. También, como pasa en todas las guerras, los niños, en ambas zonas, jugaban a batallas entre rojos y azules.

Los niños fueron las víctimas más sufridas y olvidadas de la Guerra Civil. Sufrieron directamente las divisiones de las familias, fuera porque el padre estuviera luchando en el frente o ya muerto. Algunos se encontraron aislados en los primeros días de la guerra, disfrutando de vacaciones en alguna colonia de verano, y cuando fueron devueltos a sus pueblos encontraron sus casas destrozadas y sus padres muertos. En las ciudades de la zona republicana, la terrible crisis de abastecimiento afectó principalmente a los niños. A medida que las ciudades republicanas se llenaron de refugiados, el problema principal del cuidado de los niños se agravó. La Unión de Mujeres Antifascistas Españolas funcionaba como la organización de asistencia a ancianos y refugiados en la retaguardia. A principios de 1937, se acometió la dolorosa tarea de convencer a las madres de que sus hijos fueran evacuados de la capital y, donde fuera posible, que fueran con ellos. Muchos fueron evacuados hacia Valencia y otros, como los niños vascos, evacuados en masa a Bélgica, Francia y Gran Bretaña. Desde distintas partes de la zona republicana, hubo niños evacuados a la Unión Soviética y a Méjico. La gran mayoría no volvería a ver España ni a sus familiares.

En la zona nacional, aunque no hubo problema de subsistencia, en las calles de las ciudades había un número apreciable de niños abandonados. Por un lado, las familias pobres se vieron afectadas por el colapso de las estructuras de beneficencia; por otro, muchos hombres estaban fuera luchando y muriendo en el frente, pero la razón principal fue la represión salvaje desencadenada por los rebeldes y los falangistas locales. Para ayudarles, se estableció la organización Auxilio de Invierno, después Auxilio Social, pero allí fueron alimentados al precio de su 'reeducación' o incluso de su adopción. Después de la guerra, muchos niños morirían en las cárceles o en trenes de mercancías que los llevaban de una prisión a otra. Muchos hijos de vencidos murieron de frío, hambre y enfermedades.

Los niños también son soldados.
(Página anterior)
**Chiquillos jugando a ser milicianos y enfermeras por las calles de Madrid, 1936.**
(Santos Yubero)

En el Madrid sitiado, la vida cotidiana continuaba y los niños adaptaban sus juegos a lo que se había convertido en la rutina diaria: la guerra, en todas sus manifestaciones, se reflejaba en los juegos infantiles, mientras que en los barrios periféricos de la ciudad encontrar elementos militares abandonados, como un casco, sería frecuente. Como muestra de la permanencia de la división de los roles de género en el bando republicano, y a pesar del avance que en la situación de la mujer había supuesto la Segunda República, ellos harían de milicianos, mientras ellas se disfrazarían de enfermeras, dos de las figuras más importantes en una ciudad en guerra.

Niños desfilando por Gran Vía, Madrid, 1936. (Izquierda)
Desfile de "Flechas" falangistas. Burgos, 1936. (Arriba)

La organización y uniformización de los niños se había convertido en un fenómeno común en toda la Europa de entreguerras: baste recordar la Opera Nazionale Balilla fascista italiana, los Pioneros soviéticos, la Jungvolk de la Juventud Hitleriana o los Halcones Rojos de diferentes organizaciones socialistas europeas. En España, este proceso se había iniciado ya durante la República, aunque con poco éxito, como muestran los escasos Pioneros organizados por el Partido Comunista. Pero durante la Guerra Civil estas organizaciones adquirirían un carácter de masas y los menores de edad desfilarían uniformados en manifestaciones y conmemoraciones. En el bando franquista destacarían los "Pelayos" carlistas y los "Flechas" falangistas. En la zona republicana, serían encuadrados principalmente por el PCE, apoyado por las Juventudes Socialistas Unificadas.

**Joven vestido de miliciano.**

En la zona republicana, el papel jugado por las milicias populares en la resistencia a la sublevación daría a los milicianos un carácter heroico y les convertiría en referencia y ejemplo para los niños, que intentarían imitar su atuendo, ademanes y poses... aunque fuera con una escopeta de mentira.

**Saludo puño en alto.**

El saludo con el puño en alto, utilizado antes de la guerra sólo por comunistas y socialistas, se generalizó en la zona republicana durante la guerra. Este saludo sería adaptado para el Ejército y, como vemos en la foto, aprendido también por los niños.

**Miembro del Requeté alavés con su prole.**

El Requeté, palabra de evocadoras resonancias guerreras, había renacido en Cataluña a finales del siglo XIX para designar precisamente a los grupos infantiles monárquicos carlistas de entre 12 y16 años que no podían inscribirse en su organización juvenil, aunque luego este término designaría a los "batallones" creados por la Juventud Carlista y después a las milicias tradicionalistas en general. Pero este primer Requeté, pacífico e infantil, fue el precursor de los pelayos de la Guerra Civil, que utilizarían en su atuendo elementos característicos del carlismo como las boinas rojas o la escarapela de tente. También en el bando franquista desde la infancia se "jugaba a la guerra", como muestran los fusiles de madera portados por los niños.

**Niños durante un desfile de falangistas en Salamanca, 1937.**

Frente a lo sucedido en la zona republicana, donde los niños estuvieron sometidos a separaciones de sus familias, evacuaciones o falta de alimentos, la situación de los niños de la zona franquista, dada la relativa calma existente en su retaguardia y la mayor provisión de alimentos, sería relativamente mejor. Especialmente si eran familiares de los combatientes franquistas, fueron objeto preferente de la propaganda y se les introdujo tempranamente en el ambiente y la simbología guerreras imperantes, como muestran estos niños, vestidos con símbolos y emblemas de distintas fuerzas que apoyaban al bando nacionalista y llevando bayonetas en sus manos, en un desfile de falangistas en Salamanca.

Niña con fiambreras a la puerta del Auxilio de Bilbao, 1939.
(L. Deschamps)

El Auxilio Social, llamado primero Auxilio de Invierno, fue
fundado en Valladolid a finales de 1936 por Mercedes Sanz, la
viuda de Onésimo Redondo, fundador de las JONS (Juntas de
Ofensiva Nacional-Sindicalista) y uno de los artífices de la fusión
de éstas con la Falange española de José Antonio Primo de
Rivera en 1934. Su objetivo era recoger, vestir y alimentar a los
niños pobres y huérfanos, que en el Valladolid donde se creó
eran principalmente víctimas de la represión posterior a la
sublevación. En 1937 fue integrado oficialmente en la Sección
Femenina de Falange española. Aunque no se puede negar que
se basaba en un espíritu paternalista con el objetivo de
"purificar" a sus pupilos de la "mala influencia" de sus padres,
también es cierto que en el momento de su creación fue la única
institución que parecía estar dispuesta a ocuparse de los "rojos"
en el bando nacionalista, y llegó a ser mal vista por distintas
personalidades, por su actividad con los huérfanos de
republicanos. Al acabar la guerra, contaba con unos 2.500
centros repartidos por toda España.

Niños esperando separados de su familia. Madrid, 1936.

Evacuados y separados de sus padres, perdiendo sus familias y
sus casas en los bombardeos y pasando hambre, los niños fueron
las grandes víctimas de la Guerra Civil, como muestra la foto. La
evacuación de los niños madrileños los distribuyó por Levante y
Cataluña. Múltiples reportajes hablarían de ellos y se harían
campañas para que fueran acogidos por otras familias. La
atención a la infancia se convirtió en una necesidad urgente
para preservarla lo más posible de los peligros de la guerra y
hasta se llegó a celebrar una "Semana del Niño" en Barcelona,
en enero de 1937.

# Últimas grandes ofensivas

## 11

Después de su victoria en la batalla de Teruel, Franco lanzó un masivo ataque. El 23 de julio de 1938, Valencia estaba directamente amenazada, con los 'nacionales' a menos de cuarenta kilómetros. Para desviar el avance de Franco hacia Valencia, Rojo lanzó una maniobra espectacular emprendiendo una inmensa y atrevida operación a base de cruzar el río Ebro a fin de restablecer el contacto con Cataluña. Cruzando el río por la inmensa curva que va desde Flix, al norte, a Miravet, al sur, la noche del 24 al 25 de julio, los republicanos llegaron a Gandesa, aproximadamente a unos cuarenta o cincuenta kilómetros del punto de partida, pero allí los republicanos se fueron quedando atascados. Viendo la posibilidad de destrozar el ejército republicano, atrapado en una bolsa, Franco hizo caso omiso de la poca importancia estratégica del territorio conquistado por Rojo y enviaba cada vez más refuerzos. La consiguiente enconada batalla por el territorio conquistado se prolongó durante el verano y hasta bien entrado el otoño.

Durante los casi cuatro meses, entre el 25 de julio y el 15 de noviembre de 1938, las mejores unidades de ambos ejércitos, más de 200.000 hombres, lucharon a muerte en un territorio durísimo. El Ejército Popular consiguió algunas ventajas inmediatas como cortar la ofensiva franquista sobre Valencia, o atraer el grueso de las tropas de choque franquistas a un terreno donde su superioridad material no podría tener la eficacia esperada o imponerle al enemigo unas bajas tremendas o alargar la guerra en espera de que se despertasen los dirigentes de las democracias del peligro del Eje. De hecho todo fue en vano. A mediados de noviembre, con un terrible coste en bajas, los republicanos fueron expulsados del territorio que habían conquistado en julio. Habían dejado a sus espaldas muchos muertos y gran cantidad de material valioso. Ambos ejércitos quedaron agotados en el Ebro, el republicano ya casi definitivamente, mientras el franquista pudo renovarse con ayuda alemana e italiana para pasar a ocupar Cataluña.

Aproximadamente el diez por ciento de los combatientes encontrarían la muerte allí y posiblemente la mitad sufrieron heridas importantes o mutilación. Después de la guerra, los Servicios de Recuperación recogerían más de setenta y cinco mil toneladas de chatarra militar y aun así, durante muchos años después, la gente de la zona viviría de recoger cantidades ingentes de metal.

Soldado nacionalista avanza hacia la Plaza de Toros de Teruel.

Sin aviación, y cercados entre las tropas nacionalistas y el río Alfambra, que corre de norte a sur hacia Teruel, el frente republicano se hundió rápidamente. Todavía intentarían los republicanos resistir en Teruel hasta el 20 de febrero, cuando parte de la guarnición republicana, a las órdenes del Campesino, consiguió salir a pesar del cerco franquista. El ejército nacionalista avanzaría así dentro de Teruel, acabando otra ofensiva republicana saldada con un importante desgaste de tropas.

Dos soldados en la Plaza del Torico. Teruel, 1937. (K. Horna) (Página anterior)

Después de la conquista de todo el norte, el Estado Mayor de Franco trató de volver a concentrarse en Madrid. Para evitarlo, el ejército republicano, en una maniobra planeada por el general Vicente Rojo, buscó potenciar el frente del Bajo Aragón, y las tropas republicanas entraron en Teruel el 22 de diciembre de 1937. La toma de esta ciudad, primera capital de provincia que los republicanos recuperaban en combate, hizo concebir a las fuerzas republicanas grandes esperanzas dado que era la primera vez que el nuevo Ejército Popular de la República había podido culminar con éxito una ofensiva.

**Enfrentamientos en el centro de Teruel, 1938.**

Al igual que frente al asedio del Alcázar, Franco volvió a desistir de tomar Madrid e inició una contraofensiva sobre Teruel. A pesar del avance de sus tropas, el 8 de enero de 1938 los restos de la guarnición profranquista de Teruel se rindieron al ejército republicano tras enfrentamientos muy duros, y en unas difíciles condiciones climáticas, con nevadas y temperaturas de hasta 18 grados bajo cero, que hicieron a muchos soldados de ambos bandos sufrir congelaciones. Pero esta situación duraría poco tiempo.

**Entrada de los nacionales en Caspe, Aragón. (BN)**

Tras la recuperación de Teruel, las tropas franquistas iniciaron una fuerte ofensiva para llegar al mar a través de Aragón. Aunque el general Vicente Rojo intentó crear un frente de resistencia en Caspe, concentrando allí a la mayor parte de las Brigadas Internacionales, el pueblo cayó en poder de los franquistas el 17 de marzo de 1938. Allí se establecería el general Yagüe, responsable de la defensa de la línea del Ebro y desde allí el general Kindelán, jefe de la aviación franquista, organizaría la participación de ésta en la batalla del Ebro.

**Llamada de corneta en un pueblo de Aragón.**

Las zonas rurales aragonesas estaban habitadas mayoritariamente por campesinos sin organizar antes de la Guerra Civil. Pero al convertirse Aragón en el frente bélico de Cataluña, pasaría a ser uno de los "feudos" de la anarcosindicalista Confederación Nacional del Trabajo (CNT): una semana después de su triunfo en Barcelona, las columnas anarcosindicalistas se dirigieron en gran número hacia Aragón con la vana esperanza de recuperar Zaragoza y Huesca. La presencia militar anarquista quedó reforzada por su control del órgano de gobierno regional, el Consejo de Aragón. Y en las zonas rurales aragonesas experimentaron la creación de una sociedad nueva: aunque las situaciones fueron muy variadas, para los anarcosindicalistas la colectivización de la tierra no era suficiente y, en ocasiones, se abolió el dinero, se estableció el salario familiar o se cerraron las tabernas.

**Patrulla de la Guardia Civil. Barcelona. (A. Centelles)**

De los dos regimientos de infantería de Barcelona saldrían compañías a intentar tomar la ciudad. En cambio, los jefes de la Guardia Civil de Barcelona garantizaron su lealtad al Gobierno republicano y a la Generalitat y cumplieron su palabra, aunque en las primeras horas del 19 de julio no intervinieron en el combate. Pero, a primera hora de la tarde del 19, sería una poderosa columna de la Guardia Civil, junto con una compañía de Intendencia, la que pondría fin a los combates en la Plaza de Cataluña. En el esfuerzo de hacer frente a la sublevación, también las fuerzas de orden público se diluirían entre las masas populares de diversas tendencias sindicales y políticas que se incorporaron a la lucha, y hubo hasta guardias civiles que se pusieron al cuello el pañuelo rojo y negro de la Confederación Nacional del Trabajo.

# Barcelona: del triunfo popular a la caída sin resistencia

En Barcelona, cuando los rebeldes marcharon sobre el centro a primeras horas del 19 de julio, fueron derrotados por los anarquistas de la CNT y, crucialmente, por la Guardia Civil que se mantuvo leal a la República. Como consecuencia del colapso de las instituciones del Estado, el poder pasó a manos del pueblo. El 20 de julio, el Presidente Lluís Companys recibió la visita de una delegación de la CNT y, con cierta agudeza, les dijo que eran los amos de la ciudad y de toda Cataluña, pero se ofreció a continuar en su puesto. Aceptaron y se creó el Comité de Milicias Antifascistas para organizar tanto la revolución social como la defensa militar de la ciudad.

De hecho, la CNT, con su ideología ácrata, no estaba preparada para asumir la administración del Estado en un momento en que había que improvisar las instituciones necesarias y organizar simultáneamente una revolución y una guerra. Los hoteles de lujo fueron requisados, y sus comedores convertidos en cantinas para los milicianos. Desaparecieron los símbolos de respetabilidad burguesa, los sombreros, las corbatas, las propinas. Se generalizó el tuteo. Se colectivizaron las empresas y las fábricas, y hasta se cerraron los burdeles y los cabarets. Durante los primeros meses, los sindicatos mandaron convencidos de que habían hecho la revolución.

Sin embargo, como insistieron tanto el partido de Companys, la Esquerra Republicana, como el partido catalán comunista, el Partit Socialista Unificat de Catalunya, los avances de los ejércitos rebeldes indicaban que hacía falta una coordinación centralizada militar y económica. A finales de septiembre de 1936, se había disuelto el Comité de Milicias Antifascistas y la CNT se unió a la Generalitat, junto con el PSUC y la Esquerra. Durante 1937, ya había poca alegría revolucionaria en Barcelona. La ciudad se veía cada vez más repleta de refugiados y enfrentada con acuciantes problemas de abastecimiento. La población estaba famélica. El Gobierno republicano huyó el 25 de enero de 1939 en medio de una desbandada masiva de hombres, mujeres, niños y ancianos. Al día siguiente, sin encontrar resistencia, las tropas de Franco entraron en una capital catalana cuyas calles estaban silenciosas y desiertas.

12

**Reparto de víveres. Barcelona.**

La oleada de refugiados que llegaron a Barcelona desde Aragón y desde la misma Cataluña interior ante el avance de las tropas franquistas desbordó las posibilidades de la ciudad: crecieron los problemas de vivienda, sanitarios y de aprovisionamiento. El hambre se hizo intensa. La Barcelona de 1939 no podía resistir como había hecho en julio de 1936, aunque los sectores republicanos partidarios de la resistencia elaboraron consignas planteando que Barcelona resistiría como lo había hecho Madrid. Pero en 1939 había cundido el hambre, el cansancio y la desmoralización. Barcelona había sido continuamente bombardeada, faltaban armamentos y las mejores unidades del ejército habían quedado destrozadas en la batalla del Ebro. La población de Barcelona estaba ya conformada principalmente por refugiados que no tenían casas que defender y que se habían acostumbrado a huir. Al llegar los nacionalistas, quienes se quedaron en Barcelona asaltaron los depósitos de comestibles preparados para una resistencia que no se había producido.

**Barcelona, 19 de octubre de 1936. Acto de recibimiento del buque soviético Ziryanin. (J. Guzmán)**

A pesar de ciertas vacilaciones iniciales, la URSS de Stalin decidió apoyar a la República, tanto como parte de su política de seguridad como por ser consciente del apoyo brindado por la Alemania nazi y la Italia fascista al bando sublevado: la Unión Soviética comprometería su "prestigio antifascista" si no ayudaba a la República. El abandono de ésta por parte de las democracias europeas occidentales convirtió la ayuda soviética en dependencia, ayudó al fortalecimiento del Partido Comunista de España (PCE), y generó toda una serie de importantes conflictos internos en el bando republicano. Pero, ante la falta de otros apoyos, el inicio de esta ayuda fue recibido con alegría y alivio por prácticamente todos los sectores que apoyaban al Gobierno republicano: desde Juventud Libre, semanario de la anarquista Federación Ibérica de Juventudes Libertarias, saludaron al "pueblo ruso", "agradecidos y emocionados" por la ayuda prestada, en el XIX aniversario de la revolución bolchevique, en noviembre de 1936. En la foto, presidencia del mitin organizado por el Partido Socialista Unificado de Cataluña (PSUC) y la Unión General de Trabajadores (UGT) con motivo de la llegada a Barcelona del buque soviético Ziryanin –que transportaba víveres, como hicieron los primeros barcos con suministros soviéticos que llegaron a los puertos del Mediterráneo español. A la derecha, se puede ver a Juan Comorera, secretario general del PSUC.

Un soldado cuida de los enseres en la calle tras el bombardeo. Barcelona. (K. Horna)

Tras la batalla del Alfambra, en febrero de 1938, y la posterior toma de Teruel por las tropas franquistas, éstas gozaron de una gran protección en su camino hacia el mar por la ya aplastante superioridad de su aviación frente a la republicana. Se hicieron comunes los ataques a la retaguardia republicana y Barcelona y su entorno serían continuamente bombardeados por los aviones italianos. Las experiencias de convivir con las bombas en la Barcelona de 1938 han quedado reflejadas en la obra de Max Aub *Campo de sangre.*

Marineros en el puerto de Barcelona.

Gran parte de la flota de guerra quedó en poder del Gobierno republicano, principalmente por la acción de los mandos subalternos, clases y marinería contra los oficiales, en los que predominaban las ideas conservadoras y autoritarias. Pero la falta de oficiales hizo a la marina republicana prácticamente inoperante en los primeros meses de conflicto. En el Cantábrico, la flota de los sublevados era superior mientras que en el Mediterráneo se apoyaba en los submarinos italianos y alemanes que vigilaban las costas. Durante la Guerra Civil, se producirían numerosos enfrentamientos entre las armadas de ambos bandos, principalmente en el Mediterráneo.

# El sombrío caminar
# hacia el exilio

## 13

A principios de 1939, Barcelona reventaba repleta de refugiados hambrientos llegados de toda España. Cuando llegó la noticia, el 23 de enero, de que las tropas de Franco habían llegado al río Llobregat a unos pocos kilómetros al sur de la ciudad, empezó un éxodo colosal. Una multitud aterrorizada de cientos de miles de mujeres, niños, ancianos y soldados derrotados empezaron un viaje largo y difícil hacia Francia. Bajo el frío gélido de la nieve y el aguanieve, en carreteras bombardeadas y ametralladas por la aviación nacionalista, muchos caminaban arropados con mantas y con unas pocas posesiones a cuestas. Algunos llevaban niños. Los que podían se apretujaban dentro de cualquier tipo de transporte imaginable. A partir del 28 de enero, el reticente Gobierno francés permitió a los refugiados cruzar la frontera. La retirada de la desgraciada masa humana que se dirigía lentamente al norte fue cubierta por el heroísmo desesperado de lo que quedaba del Ejército republicano.

Varios cientos de miles de españoles realizaron el peligroso cruce de los Pirineos. El Gobierno francés, no estaba preparado en absoluto y se mostró insensible con la gran masa humana que sufría y entraba a raudales. Al cruzar la frontera, los republicanos derrotados fueron recibidos por la Garde Mobile francesa como si fueran delincuentes. Las mujeres, los niños y los ancianos fueron conducidos como rebaños a campos de tránsito. Se desarmó a los soldados y se les escoltó hasta campos insalubres en la costa. Considerando a los refugiados como salvajes y asesinos, les condujeron en manadas hasta improvisados campos de concentración, de los cuales los mayores y más célebres se encontraban en las playas del sur de Francia en Saint Cyprien, en Argelès-sur-Mer y en Barcarès. Consistían principalmente en cercados de alambre de espino en la arena. Ante la mirada fija y vacía de los guardias senegaleses, los hombres republicanos improvisaron refugios a base de cavar en la arena mojada. Los campos carecían de las instalaciones mínimas para ofrecer refugio, para la higiene y para cocinar. Las condiciones de vida eran aterradoras. En los primeros seis meses, 14.672 españoles murieron de desnutrición, disentería y enfermedades bronquiales.

Los republicanos que no se exiliaron con la caída de Cataluña salieron como pudieron, algunos en barco, algunos pocos, poquísimos y muy afortunados, en avión. La inmensa mayoría hizo un esfuerzo desesperado para llegar a los puertos mediterráneos. Después de haber esperado en vano en el Puerto de Alicante los barcos ingleses y franceses para su evacuación, algunos se suicidaron antes que dejarse caer en manos de la Falange. Los que quedaron fueron llevados a campos de concentración.

Milicianos acompañan a las mujeres y a los niños que pasan la frontera a pie.
Huida a través de las montañas, 1938. (Página anterior)

Con el avance de las tropas franquistas por Cataluña, el éxodo afectó a un elevado número de habitantes de las zonas fronterizas con Francia que, pasando hambre y frío, con escasas pertenencias y muchas veces con ropa inadecuada para el riguroso clima de los Pirineos, intentarían llegar a la frontera francesa. Allí serían recibidos por gendarmes y soldados que a lo largo de 1938 ofrecerían a los refugiados la posibilidad de regresar a España a través de la frontera que todavía estaba controlada por los republicanos, o trasladarlos a otros departamentos de la Francia interior para no congestionar los departamentos fronterizos.

**Refugiados de Irún en la playa de Hendaya, 1936.**

A medida que las tropas franquistas se acercaban a Irún, se inició la primera oleada de éxodo masivo de población producido durante la Guerra Civil, al huir los habitantes de la ciudad hacia la vecina población francesa de Hendaya. Mujeres, niños y ancianos saldrían a pie, en coche o a caballo, cruzando el puente internacional que une Francia y España, con los escasos enseres que podían llevar. Al caer Irún en poder de los nacionalistas, también los milicianos que la habían defendido huirían hacia Hendaya. Pero todavía no se pensaba en un exilio indefinido y muchos de estos refugiados volverían a la zona republicana a través de Cataluña.

**Camino del exilio.**

Con el inicio de la ofensiva franquista sobre Cataluña el 23 de diciembre de 1938 y la caída de Barcelona el 26 de enero de 1939, tropas y población civil marcharon en tropel hacia el norte tratando de internarse en Francia, con armas, niños, heridos y amputados. Ante la presión de los fugitivos sobre los pasos fronterizos, y tras negarse varias veces, el Gobierno francés, presidido por Daladier, no pudo hacer otra cosa que abrir la frontera, el 28 de enero, a todos los refugiados civiles que lo desearan. Pero la frontera todavía seguiría cerrada para los hombres en edad de combatir durante varios días.

Equipaje abandonado por los que huyen a Francia, 1939.

Muchas personas huyeron a través de la nieve en el el duro invierno de los Pirineos, perdiendo y abandonando -para poder seguir avanzando-las escasas pertenencias que con esfuerzo habían logrado conservar durante la guerra, y preparado para no partir sin nada. Algunas patrullas de soldados y guardias móviles franceses recorrieron las montañas para llevar a lugar seguro a los refugiados perdidos en la nieve, cargando en carros los equipajes abandonados, aunque ésta no sería la tónica general entre las autoridades francesas.

**Llegada a Francia a través de los Pirineos.**

Muchos refugiados españoles llegarían a Francia después de horas de marcha a pie por la nieve que cubría los Pirineos, y con las escasas posesiones que habían podido salvar. En general, la acogida que las autoridades francesas dispensaron a mujeres, niños y ancianos fue relativamente menos dura que a los combatientes y a los hombres en edad de combatir en general. En la foto, un gendarme francés ayuda a una refugiada a transportar sus escasas pertenencias.

Los refugiados llegan a Francia. Unos niños en el puente del barco Chateau Margaux, 1937.

La caída de toda la zona cantábrica en manos de las tropas nacionalistas provocó el segundo éxodo masivo de civiles desde Vizcaya, Santander y Asturias. En condiciones muy difíciles y en los escasos barcos que tenían a su disposición salieron hacia Francia e Inglaterra: se calcula que 120.000 refugiados llegaron a Francia tras las campañas militares en el norte en 1937. Algunos de estos navíos, como el Chateau Margaux, llegarían al puerto francés de Burdeos. Otros barcos serían capturados por la marina franquista, mientras que muchos asturianos huirían a las montañas, donde iniciaron una guerra de guerrillas con escasas posibilidades pero que se prolongaría durante los años cuarenta.

Refugiados en Francia, 1939. (Izquierda)
Un gendarme ayuda a refugiados en Francia, 1939. (Arriba)

El éxodo que se produjo tras la caída de Cataluña fue el más importante de los producidos durante la Guerra Civil. La Cataluña republicana enviaría al exilio a aproximadamente 400.000 personas antes de que el 10 de febrero de 1939 la frontera quedara controlada por las tropas nacionalistas, aunque parte de estos refugiados se repatriaron antes de que acabara el año. Al llegar al país vecino, su asistencia quedaría en gran parte en manos de la solidaridad de organizaciones voluntarias o personas particulares. Alegando intereses de defensa nacional, el Gobierno francés ni siquiera puso a disposición de los enfermos y heridos que llegaron de España -más de 10.000- los servicios sanitarios militares, a pesar de la capacidad escasa -dado el número de personas que atender- de las instituciones civiles. La actitud de las autoridades francesas ante los defensores de un Gobierno con el que París aún mantenía normales relaciones diplomáticas -hasta el 27 de febrero el Gobierno francés no reconocería al Gobierno franquista de Burgos- produjo protestas en la misma Francia, aunque en general no muy duraderas y circunscritas a las organizaciones de izquierda.

**Llegada de refugiados civiles a Francia, 1939.**

Ya el 23 de enero de 1939, el dirigente socialista y Ministro de Estado del Gobierno republicano, Julio Álvarez del Vayo, había pedido que se recibieran en Francia a 150.000 mujeres, niños y ancianos, de los que muchos se hallaban ya cerca de la frontera, pero todo lo que obtuvo del Gobierno francés fue la propuesta de establecer una zona fronteriza neutral en territorio español, que fue rechazada por el Gobierno franquista con sede en Burgos. Hasta el día 28, el Gobierno francés no abriría la frontera para unas mujeres y niños desolados, atemorizados y prácticamente sin nada, como muestra la foto.

**Niños repatriados aguardan en el puerto de Barcelona, 1939.**

La caída de Cataluña propició la vuelta a España de civiles que estaban refugiados en Francia: las repatriaciones se empezaron a producir a buen ritmo -varios miles diarios- ya en las primeras semanas del mes de febrero, principalmente a través de la frontera de Irún, aunque también mediante barcos que llegaban al puerto de Barcelona. Posteriormente el ritmo de las repatriaciones se redujo por el establecimiento de restricciones por parte de las autoridades españolas y por la resistencia de las autoridades francesas a la entrega de prisioneros políticos. En la foto, vemos a niños repatriados esperando que se ocupen de ellos en la cubierta del barco "Vicente Puchol".

# ¿Fin de una guerra fratricida?

El final de las hostilidades formales no significó el final de la Guerra Civil. España sería gobernada como un país ocupado por un ejército extranjero. No iba a haber ningún proceso de reconciliación y los republicanos derrotados no podían esperar otra cosa que el hambre, la enfermedad y el miedo. En la retórica oficial, los vencidos eran 'la canalla y la chusma de la anti-España', mientras los vencedores eran buenos españoles, héroes y mártires, patriotas todos. Se instituyeron medidas para perseguir a los derrotados: en febrero de 1939, la Ley de Responsabilidades Políticas fue introducida para castigar a los defensores de la legalidad republicana y, un año después, la Ley de Represión de la Masonería y el Comunismo. El 26 de abril de 1940, se estableció la Causa General, una comisión que invitaba a la denuncia de los crímenes reales o supuestos de los republicanos.

Los derrotados que no fueron ejecutados tenían que redimir sus pecados a base de encarcelamiento y trabajos forzados. Cientos de miles de presos de guerra fueron detenidos en campos de concentración. A través del Patronato para la Redención de Penas, muchos fueron obligados a formar parte de batallones de trabajo y destacamentos penales que se emplearon como mano de obra forzada en la construcción de diques, puentes y canales de riego. Algunos presos fueron alquilados a empresas privadas que les explotaron en obras de construcción y minería. Veinte mil fueron empleados en la construcción del Valle de los Caídos, el gigantesco mausoleo para Franco y los caídos del bando nacional. Los vencidos que no se habían exiliado o se encontraban encarcelados carecían de derechos civiles. Perdieron sus trabajos y para desplazarse a otros pueblos en busca de trabajo necesitaban salvoconductos y cartas de recomendación del párroco y el jefe local de la Falange. Las mujeres y viudas de los derrotados sufrieron una cruel represión, siendo víctimas de extorsión económica y sexual, violadas, encarceladas o sometidas a la confiscación de sus bienes (que podía ser la máquina de coser). Privadas de algún modo de ganarse la vida, muchas vivieron en tal pobreza y desesperación que tuvieron que prostituirse.

Hasta su muerte el 20 de noviembre de 1975, Franco y su régimen hicieron todo lo posible para mantener la división del país entre vencedores y vencidos.

14

Una calle de Oviedo a la llegada de los nacionales.
Las banderas blancas en las ventanas indican la rendición.

Al iniciarse la sublevación, el coronel Aranda, con tropas del
Ejército y de la Guardia Civil, se apoderó de la ciudad de Oviedo.
Ésta nunca volvería a manos republicanas: se estableció un
cinturón defensivo en torno a ella que pudo contener los ataques
de las milicias asturianas, frente a lo que sucedió en la otra
ciudad importante de la región, Gijón, donde la mayor fuerza del
movimiento obrero dejó a los sublevados, dirigidos por el coronel
Pinilla, a la defensiva, cercados en el cuartel de Simancas. El
Consejo Interregional de Asturias y León, presidido por el
socialista Belarmino Tomás, organizaría la resistencia asturiana
aprovechando las características montañosas del terreno, pero en
octubre de 1936 toda Asturias estaría en poder de los franquistas.

Multitud celebrando la entrada en Madrid de las tropas
franquistas. Marzo de 1939. (S. Yubero) (Página anterior)

La llegada a Madrid de las tropas franquistas sería celebrada por
una multitud cansada de la guerra y de las privaciones que ésta
había supuesto y especialmente por los miembros de la Quinta
Columna –nombre que recibirían los partidarios de los
franquistas en zonas controladas por los republicanos, tras usarlo
el general Mola en una octavilla lanzada sobre Madrid en agosto
de 1936 en que se amenazaba con ella a los madrileños
resistentes– y que habían conseguido, escondidos o camuflados
de una forma u otra, sobrevivir en el Madrid republicano.

Inauguración de un comedor de madres lactantes, 1939.

Con el fin de la guerra, un problema fundamental sería el de alimentar a una población civil debilitada por meses y años de privaciones. A pesar de que desde instituciones oficiales, como el Auxilio Social, o privadas, por ejemplo, diferentes instituciones religiosas, se intentaría paliar esta situación, la voluntaria política autárquica del nuevo régimen y el aislamiento internacional impedirían que la situación mejorase durante mucho tiempo. Las cartillas de racionamiento se implantarían en toda España y se harían comunes el contrabando y el mercado negro.

Civiles y soldados en el campo de concentración de Le Perthus, 1939. (Página siguiente)

Aunque el corresponsal de esta foto la titularía "No son libres, pero están a salvo", los refugiados españoles en Francia pasarían por un largo cuadro de sufrimientos físicos -frío, hambre, sarna, disentería...- provocados por las durísimas condiciones de vida en los campos, a lo que se sumaría la desmoralización por la derrota y la separación de sus familias. La población de los campos establecidos en torno a la frontera iría disminuyendo paulatinamente con la creación de otros campos en los departamentos interiores de Francia, la marcha de los refugiados a otros países, la repatriación o la incorporación a la vida laboral en Francia, pero hasta 1945 se seguirían usando algunos de estos "campos de internamiento" para recibir a antiguos o nuevos refugiados españoles.

**Los nacionales llegan al mar.**

El 15 de abril de 1938, el cuerpo de Galicia del Ejército franquista, cuya vanguardia mandaba el general Camilo Alonso Vega, llegó al mar Mediterráneo por Vinaroz, tras duros combates con las fuerzas republicanas. Este fue un momento decisivo de la guerra porque dividió a la España republicana en dos -el norte, con sede en Barcelona, y la zona centro-sur, en torno a Madrid- y permitió a los franquistas ampliar su ofensiva hacia Cataluña y Valencia.

**Soldados nacionales liberados. Algorta (Vizcaya).**

La suerte de los soldados capturados por uno u otro bando fue muy incierta en los primeros meses de la guerra, dependiendo en gran medida de las condiciones en que se había producido su captura y del criterio del responsable militar o político de que dependieran. Pero con el avance del conflicto se desarrolló un cierto respeto a los convencionalismos de las guerras, influido también por las llamadas a filas decretadas en ambos bandos que dieron lugar a la existencia de un combatiente casi "involuntario" al que había que considerar. Aunque la mayoría de las liberaciones de presos se produjeron como consecuencia del avance franquista y la ocupación de territorios antes bajo control republicano, hubo también algunos intercambios de prisioneros entre ambos bandos en guerra.

**Desfile de la victoria.**

El 19 de mayo de 1939, se celebró en Madrid un gran desfile por la victoria. Con Franco presidiendo la tribuna, y acompañado de sus más importantes generales y representantes de los sectores que habían apoyado al bando nacionalista, como falangistas y carlistas, se haría el saludo romano tras la imposición de la laureada y la banda. Participó en el desfile, entre otros, el escuadrón de Regulares de Ceuta y habría una tribuna con representantes del Marruecos español, cuyas tropas tanto habían contribuido al triunfo militar. También desfiló la Legión Cóndor alemana –Franco no negaría su relación con las potencias fascistas hasta que éstas empezaron a perder posiciones durante la Segunda Guerra Mundial. Mientras unos madrileños celebraban la victoria franquista, otros serían fusilados sin ningún tipo de juicio en las tapias del cementerio de la Almudena, el mismo en que había aparecido el cadáver de Calvo Sotelo aquel ya lejano día de julio de 1936.